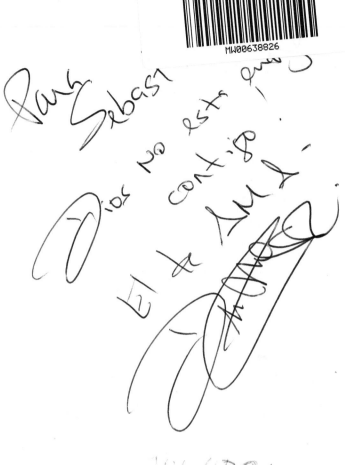

Para Sebasti
Dios no esta gun
contigo.
El & amor

786 4BO41 RO

DIOS

no está enojado

CONTIGO

En realidad, Él te ama

Dra. Maribel López

Comentarios sobre la Dra. Maribel López y *Dios no está enojado contigo*

Mi nombre es Erik Delgado y soy el hijo mayor de Maribel López. Mi madre es la persona más fuerte que conozco. Todas las dificultades por las que tuvo que pasar para llegar a donde está hoy, desde salir de Puerto Rico para venir a los Estados Unidos, tener su primer hijo a los dieciséis años, hasta obtener un doctorado, es simple y llanamente increíble.

Siempre mantuvo su fe y cada vez que se desviaba, volvía a encontrar el camino de vuelta para mantenerse en su rumbo. Mi madre siempre se esforzó, nunca se rindió y siempre se aseguró de que a sus hijos no les faltara nada. Iba a la escuela a tiempo completo mientras dirigía en casa una guardería con licencia. No fue fácil, pero nunca se rindió. Me siento orgulloso de llamarla mi madre.

– Erik Delgado

Estoy encantado de contribuir con este endoso, no solo porque Maribel López es mi madre, sino también porque creo en su trabajo. Ella ama la escritura y genuinamente ama sus alumnos.

Maribel López, en el fondo, es una educadora y una maestra. Creo que su libro enriquecerá tu vida al máximo porque será como si ella estuviera allí compartiendo contigo, de tú a tú. Mi madre es una persona alentadora. Me animó a ir a la escuela, a graduarme en la universidad y a seguir mis sueños.

Me gradué de Northeastern University en Illinois y seguí los pasos de mi madre, y ahora soy profesor en una escuela secundaria. Me mantengo fiel a mis raíces artísticas y soy fotógrafo independiente. Estas son todas las cosas que ella me animó a hacer y sé que leer este libro animará a muchos a hacer lo mismo.

– *José F. Navarrete*

Tuve el privilegio de conocer el tras bastidores de la vida de la Dra. Maribel López, la que ama trabajar desde la cama y prefiere quedarse en casa. La que fácilmente puede tomar tres tazas de café al día, no porque lo necesite, sino porque le encanta el sabor.

He visto a mi madre superar algunas cosas desalentadoras. La he visto crecer hasta convertirse en esta mujer poderosa, y cada día que pasa aprendo más sobre ella. Sin duda, sé que si lees este libro no solo conocerás a mi mamá en un nivel más profundo, sino que encontrarás en Jesucristo la fuerza para seguir adelante.

— *Clarybelle Navarrete-Camacho*

Mi mamá es una "cita" andante y está llena de motivación. Mientras crecíamos, nos decía a mis hermanos y a mí: "Sigan sus sueños, nunca se rindan, y si lo quieren, vayan por ello". Mi mamá aprendió esto a lo largo de los años por todo lo que tuvo que pasar.

Ella es una gran modelo para seguir y es una inspiración para sus hijos y para cualquier persona que la conozca. Como adulta, disfruto ver cómo sigue conquistando sus sueños y escribiendo su libro, el cual decía que quería hacer desde que tengo uso de razón.

Si eres una persona que quiere aprender cómo alguien superó los obstáculos y perseveró a pesar de sus circunstancias, este es el libro para ti. Te inspirará a seguir adelante.

— *Suzzane Navarrete*

DIOS
no está enojado
CONTIGO

En realidad, Él te ama

Dra. Maribel López

La información contenida en este libro se basa en las experiencias vitales y las opiniones percibidas y expresadas por la autora.

Traducción al español y edición: Ofelia Pérez

Producción: Power Lion Books

Foto de portada y contraportada: Jose F. Navarrete Pikaz_photos

Diseño de portada e interior: Emarie Iñiguez Marcan

Dios no está enojado contigo
En realidad, Él te ama

Dedicatoria

Con un corazón agradecido, les dedico este libro a mis hijos, mis nietos y a sus hijos.

A todos los que sufren en silencio, este libro también es para ustedes.

Para los que sienten: "No tengo voz", déjenme ayudarlos.

Yo soy tu voz y no estás solo. Tú eres importante, no necesitas sufrir en silencio, no fue tu culpa, no estás condenado, tú también puedes ser liberado y salvado por el poder de nuestro Dios Todopoderoso a través de Jesucristo que murió en la cruz por ti y por mí.

¡Jesús te ama! ¡Y yo también!

Agradecimientos

¡Me siento la mujer más querida del mundo! Dios me ama tanto que me ha rodeado de unas personas muy increíbles, valientes y alentadoras.

Este viaje de sanación no ha sido fácil y no puedo imaginar haber hecho esto sin mi regalo de Dios, mi esposo Michael.

Michael, Dios te trajo a mi vida en el momento adecuado. Eres mi amor eterno. Estoy agradecida por el amor y el apoyo que me has dado en los momentos más difíciles. Me das amor, seguridad y risas cada día. Pero lo más importante es que traes a Dios cada día a mi vida. Te amo.

Quiero agradecer a mis hijos, que vivieron conmigo durante la mayor parte de mi jornada y soportaron dolor y angustia. Mi hijo Erik, que tuve a los dieciséis años; crecimos juntos. Estuviste conmigo y viste cosas que ningún niño debería haber experimentado. Gracias por perdonarme y amarme incondicionalmente. Me haces sentir muy orgullosa de ser tu madre. Me has mostrado lo que significa la fortaleza. Gracias por estar a mi lado cuando yo no hice lo mismo por ti. Te amo.

José, me das mucha alegría y amor. La tenacidad es nuestro segundo nombre. Nunca hemos perdido la fe en el otro y nuestro amor se hace más fuerte cada día. Gracias por ser quien eres, crudo y real. Me mantienes honesta. Me desafiaste en formas que muchas personas deberían ser desafiadas. Me amas y te preocupas por mí de la manera en que solo un niño puede amar a su madre. Gracias por perdonarme y gracias por ser tú. Gracias por tu apoyo a mis proyectos y la preciosa foto que tomaste para la portada de este libro. Te amo.

Clarybelle, mi querida princesa; me hiciste una reina el día que naciste. Me inspiras y me das esperanza y alegría. Cada vez que te veo, veo la belleza de Dios, sus maravillosas creaciones y su poder de amor y redención. Me salvaste de mí misma. Me trajiste a la luz y me hiciste darme cuenta de que necesitaba cambiar mi vida, una tarea que en el mundo "normal" corresponde a una madre, no a la hija. Juntas hemos desafiado el estatus quo y desafiamos todas las estadísticas en torno a lo que debe ser una relación entre madre e hija. Dios se apiadó de mí cuando te trajo a ti a mi vida. Te amo.

Suzzane, nuestra Suzzy; eres mi sol, mi ángel del cielo. Sentí el beso de Dios cuando llegaste a mi vida. Sentí su protección y provisión cuando te trajo a nosotros. ¡Tú haces brillar mi mundo! Gracias por hacerme responsable y no dejar que me mintiera a mí misma cuando pensaba que todo estaba bien y, claramente, las cosas no estaban bien. Gracias por tu amor y admiración. Me inspiras a ser la mejor versión de mí misma. Te amo.

A las mujeres de *WISE* y *Be Brave, Be You* de mi vida, mis mejores amigas y mis hermanas "Badass Masterminds", hemos derramado algunas lágrimas de sangre. Nos hemos sostenido mutuamente cuando la otra estaba abajo y nunca nos hemos dejado caer.

Raquel Toledo, mi hermana, mi amiga, con un toque de amor llevas a cabo la misión de Dios y ayudas a las mujeres como yo a darse cuenta de su valor real.

A mi editora, Ofelia Pérez, qué bello es ver cómo

Dios pone todas las personas en su lugar para que alcancemos su voluntad en nuestras vidas. Como un regalo del Cielo Papá Dios te mandó. Mil gracias por todo tu apoyo, tu dedicación, y hacerme reír hasta llorar cuando hablamos, pero de alegría y emoción. Gracias de todo corazón. *You are so blessed!*

Un millón de gracias a Emarie Marcan; no hay palabras para agradecerte por compartir tu sabiduría y talento conmigo y mi hijo, y diseñar la hermosa portada de este libro.

Y, por último, gracias a todos los que de una forma u otra me han sostenido, me han amado, me han guiado y me han ayudado a darme cuenta de la vida preciosa que tengo y de lo amada que soy.

Gracias a mi familia y a mis amigos por todo su amor y su apoyo. Mi agradecimiento es infinito.

A lo largo de los años, Dios ha puesto personas en mi camino para guiarme e inspirarme.

Estoy lista para compartir mi viaje. ¿Estás preparado?

Índice

Porque yo sé muy bien los planes que tengo para ustedes—afirma el SEÑOR, planes de bienestar y no de calamidad, a fin de darles un futuro y una esperanza.

Jeremías 29:11 (NVI)

Prólogo

Hoy tengo el honor de hablar sobre una mujer que no solo logró que su vida cambiara, sino que también cambió mi vida.

Cuando conocí a Maribel, ella me cautivó con su presencia y su belleza. Desde el principio supe que ella era especial, con la misión de prevalecer contra obstáculos graves y espantosos en la vida, no solo para ella, sino para ayudar a los demás en el camino.

Con el tiempo, a medida que me acerqué para comprender quién era ella y de qué se trataba realmente, descubrí que mi esposa Maribel es una persona dedicada y apasionada que pone sus mejores esfuerzos en todas sus luchas. Una de sus citas del libro Dr. Lopez Quote of the Week (La cita de la semana de la Dra. López) es: "Céntrate en lo que puedes hacer, no en lo que no puedes". Dicho esto, la atención se centra en ser lo mejor que puedes ser a pesar de las circunstancias que uno pueda tener.

A Maribel se le ha dado la habilidad de sacar lo mejor de las personas inspirándolas a prevalecer. Como profesora de educación superior, Maribel tiene la gracia de ayudar a los estudiantes con una ilusión entusiasta y navegar a través de las incertidumbres de las trayectorias profesionales, especialmente en el campo del Trabajo Social. Maribel compartió de pequeña que quería escribir. Llevar un diario sirvió como un vehículo para comunicarse con Dios. Allí escribió sus pensamientos, sus alegrías, sus penas, sus quejas, sus frustraciones, sus deseos, sus necesidades y sus metas.

Su vulnerabilidad la hace fuerte. Su voluntad de darte la verdad, que algunos podrían llamar la "verdad pura", después de vivir lo que ella soportó desde el comienzo de su vida hasta este momento, es un testimonio vivo de quién es Dios y del amor que Él tiene por nosotros. Ella vivió algunas cosas inimaginables y aún vio la mano de Dios moviéndose a su favor. Como diría mi hermosa esposa: "Si pudo hacerlo por mí ... podrá hacerlo por ti".

A lo largo de su vida y al compartir su historia, podrías preguntarte dónde estaba Dios en todo este lío. Lee este libro y tendrás la respuesta. Doy gracias a Dios por darle a mi esposa la fuerza, el coraje y la vulnerabilidad para compartir su historia.

Por lo demás, hermanos, todo lo que es
verdadero, todo lo honesto, todo lo justo,
todo lo puro, todo lo amable, todo lo
que es de buen nombre; si hay virtud
alguna, si algo digno de alabanza, en
esto pensad (Filipenses 4:8 RVR 60).

Cuando pienso en el dolor que sufrió mi esposa, me entristece y me disculpo por la disparidad que encontró. Sin embargo, cuando pienso en su fuerza, la verdad, lo justo, la pureza, la hermosura, lo encomiable, la excelencia, solo puedo alabar a nuestro Padre Celestial por lo que ha hecho.

Doy GRACIAS a mi Padre Celestial por bendecirme con una mujer tan grandiosa. Me siento impulsado y es una inspiración para mí ayudar a mi esposa en todo lo que hace. Maribel ha sido elegida por Dios para llevar a cabo un mensaje de esperanza y restauración. Apoyo a mi esposa porque es importante para mí, como su esposo, trabajar junto con ella en la obra de Dios. Sin embargo, lo que pasó mi esposa no estuvo bien, y nadie debería pasar por lo que ella pasó, pero si alguien ha experimentado un trauma en su vida, quiero que sepa que hay esperanza. Mi esposa es un testimonio vivo de ello.

— *Michael A. Hernández*

Introducción

Escribir mi historia ha sido una de las cosas más difíciles que he tenido que hacer en mi vida. Los traumas de la infancia tienen ramificaciones a largo plazo que afectan tu propia esencia. Durante muchos años, viví en la vergüenza y la duda, disculpándome por ser yo misma porque no sabía quién era. La imagen de "Maribel" fue destruida por los sentimientos de "no ser amada, querida y ser indigna": mentiras que el enemigo quería hacerme creer.

Quiero animarte a escribir tu historia, ya que hay poder en escribirla. Sin embargo, lo más importante es que puedas empezar a sanar. Fíjate que no dije que publiques tu historia, dije que la escribas, pero si decides publicarla, debes saber que puedes ayudar a muchas personas que a veces se sienten solas o piensan para sí mismas: "Esto solo me pasa a mí".

Es imposible recalcar las innumerables veces

que las personas se han acercado a mí después de compartir la historia de mi vida (en su mayoría mujeres) y han dicho: "Gracias", o "esto me pasó a mí". Una de las cosas que las mujeres me dicen es: "Cuando estabas hablando, pensé que estabas hablando de mí" o "Esa es mi vida". Escuchar esas palabras es liberador para mí en muchos sentidos. Durante mucho tiempo, pensé que era la única que estaba pasando por esas cosas y me mantuve en silencio durante muchos años.

Cuando era más joven, me callaba por miedo. Cuando crecí, me callaba por vergüenza. ¡Ya es suficiente! Necesito compartir lo que el SEÑOR ha hecho en mi vida porque sé que mucha gente está sufriendo cuando no lo necesitan. Sí, pasaron cosas malas, pero eso no tiene que definirte. Quiero que sepas que el enemigo quiere mantenerte callado, sintiéndote decaído, deprimido y enojado. Si lo logra, él habrá tomado tus bendiciones y, lo más importante, tu paz.

El Señor me ha estado llamando desde que

tengo uso de razón y hoy, ya sé por qué. La gente vive con ataduras que pueden romperse, con mentiras que se pueden derribar. Tenía mucho miedo cuando pensaba en contar mi historia y cada vez que empezaba, no podía terminar. A través de innumerables sesiones de terapia, he tomado medicamentos, y durante todo este tiempo, Dios siempre estuvo conmigo a través de mi proceso de sanación.

Lo que me frenaba era la desconfianza. A veces, me sentía como el pueblo de Israel, deambulando por el desierto durante 40 años (ver Josué 5:6). Esa era yo, 40 años preparándome. No estuve sola; Dios y sus ángeles estuvieron a mi lado, guiándome en todo el camino.

Mi oración para ti es que encuentres consuelo, validación, afirmación y sanación a través de la historia de mi vida, y que sepas que tienes un Padre Celestial que escucha tus plegarias y se preocupa por ti. Aunque a veces no lo veas, Dios trabaja a tu favor. Él está a tu lado y tiene un plan para ti que hará que las cosas mejoren.

Gracias por acompañarme en este camino. Oro para que, al leer mi historia, tú también puedas liberarte de las ataduras que te sujetan. Mi oración es que encuentres el amor y la libertad, tal como lo hice yo, y que sepas que el plan que Dios tiene para ti no busca hacerte daño, sino hacerte prosperar y darte una esperanza y un futuro (ver Jeremías 29:11).

Mi historia te llevará a un viaje de amor, redención, restauración y libertad.

Eternamente agradecida,

— *Dra. Maribel López*

1 ¿DIOS EXISTE?

Mientras crecía y soportaba un vil abuso de parte de mi tío, me sentía horrible, perdida y sola. Me preguntaba, ¿Dios existe? ¿Dónde está ese Dios del que habla mi madre?

Irónicamente, sentí que Dios estaba conmigo durante el calvario, lo que es algo que, francamente, no puedo explicar incluso hoy. Durante ese tiempo, Dios estaba conmigo. Pero me pregunté por qué Él permitía que me sucediera esto. Me sentía desesperada e impotente.

Recuerdo que la primera vez que leí Jeremías 29:11 fue como si el Señor mismo me hablara al oído, y me aseguró que Dios no era quien me hacía daño. Si esto te ha sucedido en el pasado, sabes de lo que estoy hablando. Si no, debes experimentar a Dios por ti mismo.

Dios no impidió que mi tío o los otros me hicieran daño, pero me ayudó a superarlo y nunca se ha ido de mi lado. Por lo tanto, ¡lo alabo! Quiero compartir su amor y decirte y decirle al mundo que lo que Él hizo por mí, ¡también lo puede hacer por ustedes! Jeremías 29:11 cambió mi vida. Me liberó para aceptar el amor y empezar a confiar en Dios.

De niña fui abusada en el sentido físico, mental y emocional, y, aun así, sabía que Dios estaba conmigo y nunca se fue de mi lado.

El abuso me llevó a una vida de autodestrucción y frustración. Confiar en el Señor fue difícil. ¿Cómo puedo decir que voy a estar bien si las cosas no están bien, cuando a veces solo quería morir?

Hoy sé que el mal existe, pero también sé que hay un Dios que es bueno y que todo el mal terminará un día.

Cada vez que paso por momentos difíciles, tengo la tranquilidad de saber que no es Dios quien me hace daño porque sus planes para mí no son para hacerme daño.

En este libro comparto una carta de perdón que me escribí a mí misma, y decir que fue una tarea fácil se queda muy corto. La verdad es que escribir la carta y perdonarme a mí misma son dos cosas diferentes. Por un lado, sí, escribí la carta, pero el perdón ha sido un viaje, un viaje que ha valido la pena. Soy valiosa, amada y aceptada, comprada por la preciosa sangre de Jesús.

Debes entender esto: eres quien Dios dice que eres, no lo que dice este mundo lleno de maldad. Mereces vivir en paz, una paz que sobrepasa todo entendimiento (ver Filipenses 4:7). Esto no quiere decir que no vayamos a pasar por momentos difíciles. Por el contrario, significa que, durante todos esos momentos, tendrás paz, amor y alegría, todas las cosas que Dios quiso que sus hijos tuvieran y disfrutaran desde la creación.

Eres quien Dios dice que eres.

¡Sí! Dios existe. ¿De qué otra manera seríamos capaces los seres humanos de resistir los planes del enemigo si no fuera por el poder que tenemos

33

en Cristo? Sí, hay un Dios y ha estado ahí todo el tiempo. ¿Lo dejarías entrar en tu corazón? Él quiere mostrarte su maravilloso amor. ¿Dejarías que te ame? Él quiere y desea una relación contigo.

No hay, Señor, entre los dioses otro como tú, ni hay obras semejantes a las tuyas. Todas las naciones que has creado vendrán, Señor, y ante ti se postrarán y glorificarán tu nombre. Porque tú eres grande y haces maravillas; ¡solo tú eres Dios! (Salmos 86:8-10 NVI)

2 ÉL ME HIZO DAÑO

Yo era una niña inquieta. Siempre he tenido la misma energía que tengo hoy. No es de extrañar que nadie pudiera imaginar que algo estaba mal, incluyendo a mi mami. Hoy en día, mi madre sigue diciendo que era "tremenda". Algunos de mis recuerdos de la infancia incluyen cantar y bailar o ir a la tienda y buscar a mi hermano, que a menudo salía corriendo a comprar caramelos por un centavo. Vaya, extraño ir a la tienda a comprar algo con un centavo. Solíamos comprar chicles y caramelos duros. Otras memorias que tengo tienen que ver con cocinar o quemar arroz o avena.

Intentaba cocinar para mis hermanas, pero no me gustaba. Por cierto, todavía quemo el arroz. ¡Se me quema el agua! No me gusta cocinar y no me da pena admitirlo. Esto es una broma en mi familia y a mi hija mayor le encanta porque le asegura que está bien que una mujer no cocine o no le guste cocinar, y que también está bien quemar la comida.

No recuerdo la edad exacta que tenía cuando empezó el abuso, pero recuerdo que estábamos solos en la casa y yo tenía que cocinar, aunque no supiera hacerlo. Mi tío nos cuidaba en la casa de la abuela, y creo que era allí donde vivía. También vivió con nosotros por un tiempo.

Tengo algunos recuerdos en los que estoy en una habitación con paredes marrones. Recuerdo a mi tío encima de mí. En otras ocasiones, utilizaba un perro para retenerme. No recuerdo qué edad tenía, pero sé en mi alma que mi tío abusaba sexualmente de mí desde que era un bebé.

> *Decide lo que vas a permitir o no en tu vida.*

Te preguntarás, ¿cómo lo sé? Los recuerdos de mi infancia más presentes en mi mente son los de mi tío abusando de mí, escondiéndome, diciéndome que no le dijera nada a nadie, especialmente a mi madre. Sé que seguramente me abusaba desde que estaba muy pequeña. Le temía y me creía todo lo que decía. Si me decía que saltara, le preguntaba: ¿desde qué altura?

Aunque mi tío me hacía daño, no recuerdo ningún dolor físico mientras abusaba de mí. Durante el acto, sentía que Jesús me protegía. A pesar de que fui abusada física y sexualmente, mis recuerdos de cualquier dolor son inexistentes. El dolor vino después cuando me di cuenta de lo que me había pasado.

Oprah fue la primera persona a la que se lo dije. Tal y como lo lees, pero no como estás pensando; todavía no la conozco en persona. Sin embargo, esta es una de las cosas positivas de ver televisión. Un día, mientras veía el espectáculo de Oprah Winfrey, compartió que su tío había abusado sexualmente de ella. Mientras explicaba lo que le había pasado, supe que lo que mi tío me había hecho estaba mal.

Aunque no estaba muy segura, sabía que lo

que mi tío estaba haciendo no estaba bien porque quería que lo mantuviera en secreto. En mi mente de niña, sentía que yo estaba haciendo lo correcto. Pensaba que estaba protegiendo a mi mamá y a mis hermanas. Él me decía que nadie me iba a creer y que, si decía algo, él les haría daño.

Estoy contando mi historia para que salgan a la luz las cosas que los agresores dicen a sus víctimas. ***Diles a tus hijos: "Si alguien te dice alguna de estas cosas, está mal y debes decírmelo".*** Me gustaría poder decir que los niños lo harán, pero nada lo garantiza.

Una vez vi a mi madre enfrentarse a un hombre que había sido acusado de abusar de una niña. En otra ocasión, vi a mi madre defenderse de alguien que quería hacerle daño físicamente. Y, aun así, me quedé callada y seguí siendo maltratada.

Antes de continuar mi triste relato, quiero alertarte: ***presta mucha atención a los niños que te rodean. ¿Cambiaron repentinamente? ¿Tienen miedo o parecen reacios a ver a alguien o a*** *quedarse con esa persona?* Este no siempre fue mi caso. Yo quería a mi tío, era parte de mi familia. Quizás no dije nada porque creía que no era una mala persona y pensaba que eso era "normal" entre tíos y sobrinos. Permíteme recordarte que yo era una niña pequeña. Esto ocurrió durante los primeros once años de mi vida.

Quiero traer a la luz también que pongamos mucha atención en los juegos de niños de nuestros hijos. Mi tío, mayor que yo, no fue el único que me abusó. Otros niños de mi edad, al jugar, me escondían en closets para abusar de mí. Es cierto que los niños exploran, pero esto es diferente a la exploración sana entre niños, como por ejemplo, cuando tienen curiosidad por nombres de partes privadas.

Tenemos que enseñarles a nuestros hijos que ellos tienen derecho a decir que "NO" a cualquiera, ya sea otro niño. Debemos enseñarles qué es juego sano y juegos que hacen daño. Creemos en los niños consciencia de estas cosas.

Conozco historias de personas que me han contado cómo jugando con niños fueron maltratados sexualmente, y esto les ha hecho mucho daño emocional y mental.

No estemos muy confiados porque nuestro niño o niña está con la prima, el primo, la vecina, o la tía. Tanto hombres, niños y una mujer abusaron de mí cuando era niña.

Presta atención si tu hijo parece inquieto, triste o ansioso. Mi sugerencia es que *nunca dejes de intentar averiguar qué puede estar pasando con tus hijos.* Las presiones diarias de la vida pueden nublar nuestro juicio y a veces podemos pensar que nos estamos volviendo locos. Pues, prefiero estar loca a que mi hijo sea maltratado.

Aprende a comunicarte con tus hijos. No te rindas. Sigue orando y mantén abiertas las líneas de comunicación. Asegúrate de que ellos tengan un lugar donde se sientan seguros hablando contigo; este lugar pueden ser tus brazos amorosos. Abrázalos lo más que puedas, coman todos juntos tanto como sea posible. En la mesa es donde tienen lugar las mejores conversaciones. Yo no le conté a nadie lo que me sucedió hasta que tenía más de veinte años.

Mi tío utilizaba el miedo para mantenerme callada, para intimidarme. Me amenazaba y me decía que, si decía algo, mataría a mi mamá o les haría daño a mis hermanas. Utilizaba un perro para que no me moviera o para que no saliera de la habitación, e incluso para que me quedara callada y nadie supiera que me tenía inmovilizada en la habitación.

Los que me conocen bien saben que esto sigue siendo una lucha para mí. Si un perro se atraviesa en mi camino de manera inesperada o si está en una habitación a la que voy a entrar, me quedo paralizada. Me entrenaron para no moverme

Aprende a comunicarte con tus hijos.

en la presencia de un perro. Me dijeron que, si me movía, me haría daño.

Los agresores utilizarán todo lo que puedan para llevar a cabo sus planes. Incluso establecerán un vínculo emocional contigo para poder abusar de ti. Algo que me decía mi tío era que yo era su sobrina favorita. Como dije antes, no recuerdo cuándo empezó el abuso. Sin embargo, la mayor parte de mis recuerdos de la infancia consisten en él abusando de mí.

En otra ocasión, mi tío decidió traer a otros dos hombres con él para abusar de mí. Mi recuerdo de este suceso es mínimo. Para mí, fue como una experiencia extracorporal.

Durante años, dudé en compartir esta parte de mi historia porque estaba asustada, asustada de lo que la gente diría o pensaría de mí, como si yo fuera la culpable del abuso que me infligieron. Tenía miedo de contarlo porque creía en las mentiras que me habían inculcado y no podía creerlo yo misma. Algunas de las preguntas que me hacía a mí misma eran: ¿Por qué alguien me creería? ¿Cómo es posible que siga viva?

Comparto la historia de mi vida para ayudar a quien haya pasado por lo que yo pasé, a saber que hay una vida mejor que vivir en cadenas. La prisión que se deriva de este horrible abuso es una prisión de culpa, vergüenza, condena, miedo, ansiedad, y falta de amor propio y aceptación.

En un momento dado, empecé a comer jabón. En ese momento no sabía por qué lo hacía, pero después de reflexionar sobre mi pasado, me di cuenta de que posiblemente comía jabón para limpiarme de toda la suciedad que me habían impuesto porque me sentía sucia y rechazada. Pensaba que había algo mal conmigo.

Si este es tu caso o el de alguien que conoces, debes saber que el Señor me salvó. Él sanó mi corazón roto y me recuerda que estoy entera, sana y completa cada día, y puede hacer lo mismo por ti. Fuimos hechos para mucho más. En ese momento, Dios tenía un plan para ti, y lo sigue teniendo.

Cuando leemos Génesis (Capítulo 3) en la Biblia, *"la caída"* es todo lo que se nos queda en la mente y olvidamos el plan de redención de Dios para nuestras vidas; Jesucristo murió y resucitó. ¡La historia no terminó en el Jardín del Edén! ¡Aleluya! La historia continúa y tiene un final fantástico. ¡La vida eterna!

Estoy escribiendo este libro porque sé que hay muchas personas que están pasando por un dolor que tiene cura, y yo estoy en una misión de Dios para llevar sanación a sus vidas. Yo nací con un propósito y una misión, y tú también.

El Espíritu del Señor DIOS está
sobre mí, porque me ha ungido el
SEÑOR para traer buenas nuevas a los
afligidos; me ha enviado para vendar
[las heridas] de los quebrantados de
corazón, para proclamar libertad
[del confinamiento y la condena] a
los cautivos [físicos y espirituales] y
liberación a los prisioneros (Isaías 61:1).

3 NADIE LO SABÍA

Cuando mis padres se divorciaron, mi madre trabajó muy duro para mantenernos a mis hermanos y a mí. Soy la mayor de seis y tuve que ayudar a mi madre a cuidar de mis hermanos menores.

Hasta el día de hoy, mi cariñosa madre busca continuamente servir a Dios y proveer para sus hijos. Durante los tiempos difíciles, siempre tuvimos mucho amor entre nosotros y aunque ella trabajaba mucho durante la semana, compartíamos tiempo en familia y disfrutábamos los fines de semana. Íbamos a la playa y la mayoría de los domingos comíamos Kentucky Fried Chicken religiosamente, la comida favorita de mi mami.

Algunos fines de semana nuestro padre venía y nos llevaba a su casa para visitar a nuestra abuela y a su hermana. Nos encantaba ir porque la mayoría de las veces íbamos a la playa. Creo que mi amor por el mar nació cuando disfrutaba jugando en el agua y pasando tiempo con mi padre.

En la escuela recuerdo que me distraía. En aquella época, los profesores te castigaban golpeándote con una regla si pensaban que estabas distraído. Esto puede ser increíble para algunos, pero, aunque no se les permitiera, no les importaba, lo hacían igualmente.

Nunca olvidé eso porque cuando pienso en la escuela y en el aprendizaje, no puedo evitar pensar en lo difícil que era para mí prestar atención en clase porque abusaban de mí. Lo único en lo que podía pensar era en mi tío abusando de mí.

Esta experiencia influyó en mi forma de manejar la clase y en mi forma de ser como profesora hoy en día. Sentía pena por "Mari", la niña que estaba asustada todo el tiempo.

Me mantengo intencionalmente en la Palabra de Dios sobre no tener miedo. No tengo nada que temer. Sin embargo, el miedo estuvo y está a veces presente en mi vida, y a menudo lucho contra este sentimiento. Dios aún no ha terminado conmigo.

Ya no soy una niña pequeña y puedo defenderme, y los ángeles de Dios están a mi lado.

Se pueden derribar las mentiras que hay detrás del abuso y ser transformada por el amor y la redención de Dios. Elijo ser una participante activa en mi relación con Dios. Oro, leo la Palabra y me mantengo llena con las promesas de Dios para mi vida. Te recomiendo que medites en la Palabra, lleves un diario y que hables con Dios.

Sino que en la ley del Señor se deleita,
y día y noche medita en ella. Es como el
árbol plantado a la orilla de un río que,
cuando llega su tiempo, da fruto y sus
hojas jamás se marchitan. ¡Todo cuanto
hace prospera! (Salmos 1:2-3 NVI)

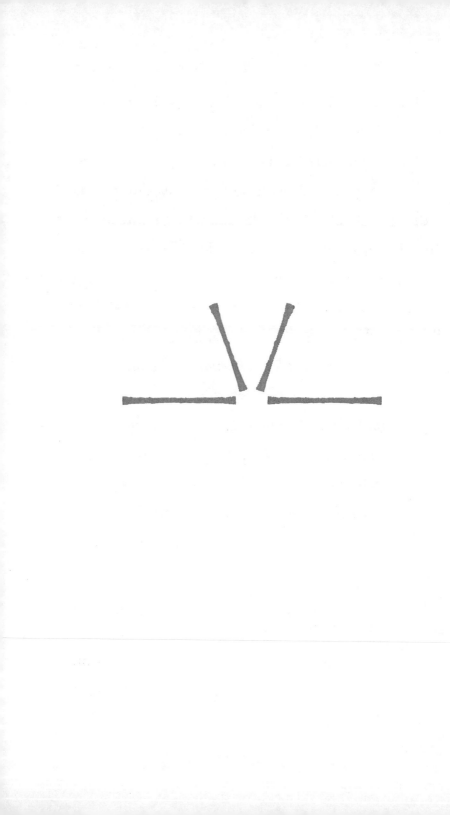

4 SOMOS MÁS QUE VENCEDORES

Lo que más recuerdo de mi vida de adolescente es mi deseo de alcanzar mis sueños. Me encantaba ir al colegio, pero era difícil. Fui a una escuela secundaria que, en aquella época, era conocida por sus pandillas y su violencia: la famosa Academia Comunitaria Roberto Clemente, en Chicago, IL. Cuando menciono que fui a esa escuela, la gente me teme o se compadece de mí.

Recuerdo que cuando iba a la escuela era habitual que los estudiantes lucharan contra los pandilleros para que no los molestaran. Recuerdo que fui el blanco de un pandillero que quería que yo fuera su novia. Sin embargo, él ya tenía una novia. Ella sabía que él quería estar conmigo, así que intentó atacarme porque, según ella, yo estaba coqueteando con él.

Él me dejaba flores en la puerta y en una ocasión me regaló por San Valentín un oso de peluche gigante. Ella no sabía que en aquel momento yo estaba demasiado ocupada yendo a la escuela y trabajando para ayudar a mi madre a pagar el alquiler y la comida.

En una ocasión me retó y quiso pelear conmigo: "Nos vemos a las 3", dijo. Cuando terminaron las clases, pude ver la multitud que se formaba a la salida. Estaba muy asustada, pero me dije: si no salgo, esto no acabará nunca. En resumen, ella no apareció. Sé que fue Dios quien me salvó ese día. No estaría aquí hoy si ella hubiera aparecido.

Se pueden derribar las mentiras que hay detrás del abuso.

En aquel momento, esas chicas solían cortar la cara de las "chicas guapas" con un cuchillo. Dios me salvó una vez más. El enemigo quería destruirme, pero no puede hacerlo. Pertenezco a un Dios todopoderoso.

Comparto esta parte de mi historia porque

quiero que sepas que hay un adversario que busca robarte, destruirte y distraerte de tus objetivos. Reflexionar sobre esta experiencia me recuerda las muchas distracciones que usa el enemigo para desviarnos de nuestro camino. Hoy puedo ver que yo era el objetivo de Satanás desde el principio. No te sorprendas, él quiere destruir a la humanidad.

Los seres humanos creen que tienen el control de su vida y, hasta cierto punto, lo tienen porque Dios nos ha dado el libre albedrío. Sin embargo, tenemos un creador, un Dios que es el Alfa y el Omega. Él es el principio y el fin; no nos pertenecemos a nosotros mismos, ni provenimos de los monos como algunos quieren hacer creer. Como hijos del Señor, debemos mantener nuestros ojos enfocados en el Señor y en Su voluntad para nuestras vidas.

Estoy compartiendo esta historia porque sé que, como yo, probablemente estás luchando contra bravucones todos los días o te preguntas si deberías estar aquí. Estoy aquí para decirte que

¡SÍ DEBERÍAS! Dios tiene ángeles que son más grandes y fuertes que ellos, y luchan y te protegen. Puede que el mal exista, pero no puede vencernos. Somos más que vencedores. Ya ganamos la batalla.

Sin embargo, en todo esto somos más que vencedores por medio de aquel que nos amó (Romanos 8:37 NVI).

5 ¿QUÉ ESTÁS MIRANDO?

Durante mi adolescencia y hasta mis veintitantos, nadie podía mirarme sin que eso me molestara. Me enfrentaba a cualquiera que me mirara fijamente. Era violenta. Estaba molesta todo el tiempo y llevaba un bate de béisbol en mi carro para enfrentarme con cualquier persona o para defenderme.

Recuerdo que, en una temporada navideña, mientras buscaba un sitio donde estacionar mi carro en un centro comercial, vi un auto que estaba saliendo del lugar donde estaba estacionado. Mientras esperaba que el conductor saliera, otro carro me cortó el plazo y me quitó el espacio. ¡Me puse furiosa! Salí de mi carro con el bate en la mano y le exigí al conductor que saliera de su carro para darle una lección.

Al acercarme al carro me di cuenta de que se trataba de un señor mayor que me miró con miedo. Me alejé y lo dejé solo. Mientras estaba en la tienda, me evitaba y no lo culpaba. Me sentía fatal. Fue en ese momento cuando me dije que no seguiría viviendo así. Tenía mucha rabia dentro de mí y no sabía cómo manejarla.

Me di cuenta de que cuando no estaba molesta, estaba triste. Tenía muchas emociones acumuladas dentro de mí. Sentía que no era lo suficientemente digna para ir a la iglesia o estar en la presencia del Señor porque era una persona enojada y tenía muchas cosas en mi mente que no eran tan buenas. Dios me hizo una luchadora. Me hizo así y lo hizo con un propósito. Sí, la realidad es que yo era una joven enojada por razones obvias.

Me enseñaron a callar y a no hablar de mis sentimientos. Cuando digo que Dios sabe lo que hace, créanme, lo sabe. Necesitaba ser una luchadora para poder soportar tanto abuso. No solo lo soporté, sino que varias veces en mi vida fui testigo de abusos y cuando encontré mi voz y mis puños, los usé. Me volví hacia la violencia debido a la ira que tenía dentro de mí, pero cuanto más me metía en la Palabra de Dios, más me cambiaba. La Palabra sirve como un espejo de nuestras vidas:

No se contenten solo con escuchar la palabra, pues así se engañan ustedes mismos. Llévenla a la práctica. El que escucha la palabra, pero no la pone en práctica, es como el que se mira el rostro en un espejo y, después de mirarse, se va y se olvida en seguida de cómo es. Pero quien se fija atentamente en la ley perfecta que da libertad, y persevera en ella, no olvidando lo que ha oído, sino haciéndolo, recibirá bendición al practicarla (Santiago 1:22-25 NVI).

Dios nos hizo con esas características y con una personalidad para perseverar. Él necesita que nos concentremos en esas cualidades específicas y en los dones que se nos han dado para lograr Su propósito a través de nuestras vidas. Sí, a veces algunos rasgos de tu personalidad deben cambiar por razones obvias. Sin embargo, ¡CELÉBRATE! Él te hizo tal como eres, y lo hizo con un propósito y para un momento como este.

Sigo siendo una luchadora, pero hoy no me abalanzo sobre nadie que me mire mal. Intento amar como hizo Jesús. Sin embargo, no me callo y no me callaré si veo injusticias. He aprendido que Dios me ama tal como soy. Si hay alguna cosa que no le agrade, Él me ayudará en el proceso de refinamiento y sé qué hará lo mismo con ustedes.

De modo que, si alguno está en Cristo,
[es decir, injertado, unido a Él por la
fe en Él como Salvador] nueva criatura
es [renacida y renovada por el Espíritu
Santo]; las cosas viejas [la condición
moral y espiritual previa] pasaron.
He aquí, son hechas nuevas [porque
el despertar espiritual trae una vida
nueva] (2 Corintios 5:17).

6 AGRADECIDA

Mi infancia fue difícil y mi vida no ha sido fácil. A pesar de todo, he aprendido a ser agradecida. Tengo cuatro hijos adultos y sanos, y todos ellos son un milagro.

Aunque pasé por una prueba tan terrible, Dios se me mostró de muchas maneras y en muchas etapas diferentes de mi vida. Tenía todas las razones del mundo para estar enojada con Dios, pero no lo estoy. Todos los misterios de este mundo le pertenecen a Él. Tuve la seguridad de que un día Él pondría fin a todo mi sufrimiento. Lo más interesante para mí es que, aunque no estaba enojada con Dios, seguía pensando que Él estaba enojado conmigo. Solo los humanos se confunden así. ¡Es una locura!

Desde el principio, el plan de Dios para la humanidad ha tenido el bien como objetivo. Él creó a hombres y mujeres a su imagen y semejanza para que gobernaran la tierra. Sin embargo, Dios les dio a los hombres y a las mujeres libre albedrío para que eligieran amarlo y conocerlo.

Adán y Eva cayeron en la tentación y pecaron desobedeciendo a Dios y sus mandatos. Dios es un Dios de su Palabra, y Él no se retracta de Su promesa. Su palabra nos asegura: "*Dios no es hombre, para que mienta...*" (Números 23:19 LBLA).

Yo solía cuestionar a Dios. Le preguntaba: "¿Por qué permites que haya tanto dolor en el mundo?". Esto no fue fácil para mí, pero aprendí que Él es misericordioso y permite que la humanidad se arrepienta. Su promesa es de venganza y juicio. El día llegará. Nos está dando tiempo para arrepentirnos de nuestros pecados y para alejarnos del mal.

Verás, Dios no permitirá que pasemos por algo sin Él. Él sabe lo que podemos soportar. Él nos equipó para soportar todo el mal en este mundo porque nos hizo a Su imagen.

Lo alabo y canto porque estoy eternamente

agradecida con Dios por todo lo que Él me ha permitido experimentar en mi vida.

Hoy estoy agradecida por mi vida. Hubo un tiempo en el que no quería vivir porque el dolor era mucho para soportar. No sabía cómo procesar el dolor que sentía. Dios me ayudó enviándome ángeles en forma de hombres y mujeres que me acogieron bajo sus alas y vertieron amor y sabiduría en mí para convertirme en la mujer de Dios que soy hoy.

> *El conocimiento tiene poder, pero solo tiene poder si lo usas.*

Estoy agradecida por la oportunidad que tengo de contar mi historia y, al hacerlo, ayudar a otros a superar la vergüenza, la duda, el miedo y los sentimientos de indignidad y condena.

Estoy agradecida por los cuatro hijos que él permitió que nacieran a través de mí, porque pensé que nunca podría tener hijos debido a la magnitud del abuso. Estoy agradecida por mis nietos; ellos son mi mundo.

Estoy agradecida por los buenos y por los malos momentos porque me enseñaron a ser la mujer que soy hoy.

Estoy agradecida por el esposo que Él me ha regalado. Una de las mentiras que creí mientras crecía era que *TODOS* los hombres eran malos y que *TODOS* los hombres me harían daño. Y durante mucho tiempo viví con miedo a los hombres y atraje a los hombres equivocados a mi vida.

Estoy agradecida de no haber dejado que la amargura y la falta de perdón invadieran mi corazón. Perdoné a mi tío y a todos los hombres y mujeres que me hicieron daño a lo largo de los años.

Estoy agradecida por la madre y por el padre que tengo, quienes me aman de manera incondicional. No sabían lo que me ocurría porque yo creía que era responsable de protegerlos. Fueron tan víctimas como yo, y aunque quise culparlos, ellos no cometieron el acto; no tienen la culpa.

¡Estoy agradecida por mis logros! Soy una persona enfocada a lograr sus metas. Una vez que me propongo hacer algo, lo hago. Soy una soñadora. En el fondo siempre he sabido que me esperaba algo más grande y mejor. Me esfuerzo por hacer el bien y sigo mis sueños. También me gusta ayudar a los demás y soy una persona influyente. Me encanta aprender y crecer. Cuando hay una conferencia o un taller, oro para que me guíen y quiero que todos los que me conocen vayan y crezcan conmigo.

Creo que una vez que dejas de aprender, dejas de crecer. El conocimiento tiene poder, pero solo tiene poder si lo usas. Quiero que todos los que me rodean tengan éxito. Estamos destinados a prosperar y a vivir una vida abundante. Quiero animar a los demás a seguir esforzándose por alcanzar sus sueños. Mi maestra de graduación del preescolar me quería porque siempre ayudaba a los demás. Todavía soy esa persona, ¡y me encanta!

Fui a un colegio universitario y me certifiqué en educación infantil. Luego obtuve un diplomado, después una licenciatura, una maestría, y un doctorado en educación. Les digo a mis alumnos que he asistido a mis ceremonias de graduación en cada nivel. Es importante que reconozcas tus logros y todo lo que has trabajado por ellos.

Somos más que vencedores. Ya ganamos la batalla.

También es importante para mí porque era madre y titi (tía) cuando estaba cursando mis estudios universitarios. Quería compartir la importancia de la educación con los jóvenes de mi familia. ¡Pásenlo, amigos!

A los veinte años, era madre de tres hijos. Compré mi primera casa, monté mi propio negocio, y cofundé una organización sin fines de lucro que hoy día sigue ayudando y asistiendo a las mujeres para obtener y mantener sus licencias de guardería. Además, nos centramos en la integridad y en el bienestar de la persona.

La teoría de la jerarquía de necesidades del psicólogo Abraham Maslow (1943)[1] establece que se deben satisfacer todas las necesidades básicas para alcanzar el potencial pleno, por lo que proporcionamos recursos adicionales, ya que queremos ver a las mujeres tener éxito, tanto personal como profesionalmente. Empoderamos a las mujeres latinas para que tengan un estatus económico seguro en nuestras comunidades.

Al reflexionar sobre mis logros, doy gracias a Dios por haberme dado la sabiduría para seguir mis sueños. Aquí está esa niña cuya vida fue nada más y nada menos que un milagro, y que a pesar de toda la confusión en su cabeza y en su alma, siguió sus sueños. No estuve sola, tuve mi fe, a Dios a mi lado, a los ángeles que Él envió para amarme y guiarme, y el amor y el apoyo de mi familia, mis amigos y mis mentores.

---

1 *Maslow's hierarchy of needs*. Pichere, P., & Cadiat, A.-C. (2015) Lemaitre.

En todos mis logros, lo que más me enorgullece es que nunca perdí la esperanza. Si hubiera perdido la esperanza, ¿dónde estaría ahora? ¿Dónde estarían mis hijos?

Estoy escribiendo mi historia para darte ESPERANZA. ¡Esperanza que viene del Señor!

Pero los que esperan en el Señor [que esperan, buscan y tienen esperanza en Él] Obtendrán nuevas fuerzas y renovarán su poder; Levantarán sus alas [y se levantarán cerca de Dios] como águilas [elevándose hacia el sol]; Correrán y no se cansarán, Caminarán y no se cansarán (Isaías 40:31).

7 LA ESPERANZA NO ESTÁ PERDIDA

La Palabra de Dios me ha llenado de amor, esperanza y alegría. La gente a menudo me pregunta de dónde saco la energía y el amor que tengo por los demás y mi respuesta siempre es la misma: de Jesús.

Mi relación con Dios siempre ha sido difícil. Discuto, converso, me río, lloro e incluso me desahogo con el Señor, y te animo a que hagas lo mismo. Nuestro Padre Celestial quiere tener una relación con nosotros. Él no quiere una relación religiosa, como esas en las que tienes que tachar cosas de una lista. Él quiere una conexión genuina con Sus hijos. A menudo se le culpa a Dios de todo lo que está mal en el mundo y en nuestras vidas, y a menudo lo llamamos cuando necesitamos que intervenga. Pero no lo buscamos en otros momentos, en los momentos buenos. Hablo por mí y por mis experiencias personales.

Yo estaba buscando respuestas y Dios apareció de una manera poderosa y cambió mi vida. Cambió mi ser y me hizo una persona nueva. ¿Cómo? Me costó tiempo y esfuerzo.

El Señor no se te va a imponer. Él va a estar allí si quieres aceptarlo y tener una relación con él. Sin embargo, él no obligaría a sus hijos a hacerlo. Si eres un padre, piensa en tus hijos y en cómo los tratas. ¿Obligarías a tus hijos a tener una relación con alguien que no quieren? No lo creo. Bueno, la Palabra dice que nosotros somos Sus hijos. Dios no nos obligará a hacer algo que no queremos hacer. Él nos dio libre albedrío, y Él es un hombre que cumple su palabra. Sin embargo, debemos dar el primer paso y confiar en Él.

Yo acepté a Jesús en mi corazón y tuve que creerle y creer en Él. Uno de mis versículos bíblicos favoritos es el de Marcos 11:24:

> *Por eso os digo que todas las cosas*
> *por las que oréis y pidáis [de acuerdo*
> *con la voluntad de Dios], creed [con*

confianza] que ya las habéis recibido, y
os serán concedidas.

Algunos cristianos dicen que son cristianos, pero no creen plenamente en Él o tienen dudas. Lo sé; yo solía ser una de esas personas. No somos perfectos y titubearemos, pero no podemos quedarnos ahí. No debemos dudar como el apóstol Tomás. Tomás dudó de la resurrección de Jesús; solo lo creyó cuando lo vio. Dijo:

...Si no veo en sus manos la señal de los
clavos, y meto el dedo en el lugar de los
clavos, y ponga mi dedo en las huellas
de los clavos y pongo la mano en su
costado, no creeré (Juan 20:25).

¡Vaya! ¿Cuántos de nosotros pensamos como Tomás? Necesitamos ver, comprobar y volver a comprobar antes de creer, y aunque hayamos visto el milagro por nosotros mismos, seguimos dudando. En mi opinión, esta es una fe débil. Este tipo de fe no tiene poder. Tiene poder cuando creemos y actuamos a base de ella. *"La fe sin las obras está muerta"* (Santiago 2:14-26).

... *¿de qué le sirve a uno alegar que tiene fe, si no tiene obras? ¿Acaso podrá salvarlo esa fe?* (Santiago 2:14 NVI)

8 SOY QUIEN DIOS DICE QUE SOY

Soy una mujer apasionada que ama la vida. Soy una guerrera y una conquistadora, ¡tal como dice Dios! Uno de mis dones es conectar con las personas. Soy una líder nata que busca superarse cada día. Soy una hija del Rey Todopoderoso, esposa, madre y una querida abuela. Fui elegida, apartada por Dios y junto a Él, soy cocreadora. La persistencia y la determinación son algunos de mis puntos fuertes. Soy leal y lucharé hasta el final.

También soy compasiva, amable y naturalmente generosa. No me importa dar de mí misma y de mis recursos si sé que van a beneficiar a otra alma. Todos estamos conectados y lo que le ocurre a uno les ocurre a todos. Estamos juntos en esto. Aunque no hayamos elegido nacer, cada día tenemos que elegir seguir viviendo. A veces perdemos el rumbo, y eso está bien. Está bien NO tenerlo todo resuelto. Lo que NO está bien es no cuidarnos y no valorarnos como deberíamos.

Yo viví una vida de destrucción durante muchos años. Tuve que pedirle perdón a Dios, pero, sobre todo, tuve que perdonarme a mí misma. Es importante que todos lo sepan. Dios nos dio la sabiduría para vivir una vida mejor con la que a veces nos sentimos complacidos. La autocomplacencia me asusta. ¿Es una falacia? Pregúntense, ¿por qué están tan cómodos? Quiero vivir la vida abundante de la que habla la Palabra de Dios.

El legado que quiero dejarles a mis hijos y a mis nietos es que yo viva una vida que sea agradable para el Señor y honrarlo al vivir mi vida con amor, alegría y bondad. Solo tenemos una vida y quiero vivirla al máximo. Quiero ser fiel a mí misma y a mis creencias, sin rebajar mis estándares por nadie. Quiero impartir perdón, amor y bondad porque es lo que aprendí del Señor. Quiero transmitirlo. ¡La vida es buena y quiero compartirlo con el mundo!

A veces las cosas que vivimos ponen una nube de humo sobre las promesas de Dios y sobre lo que Él tiene reservado para Sus hijos. Vive con la expectativa de un mañana mejor. Haz lo mejor que puedas hoy. Déjate llevar y deja que Dios vea las cosas maravillosas que hará en tu vida.

Jesús le dijo: "¿No te dije que si crees [en mí], verás la Gloria de Dios [la expresión de Su excelencia]?".

(Juan 11:40)

9 EL MIEDO QUE ME SALVÓ

No todo el miedo es malo. Antes de que digas que me estoy contradiciendo, déjame explicarte. La Palabra de Dios dice:

> *El principio de la sabiduría es el temor de Jehová; Los insensatos desprecian la sabiduría y la enseñanza.*
> (Proverbios 1:7 RVR 1960)

Después de estar sin pareja por un tiempo, conocí a alguien; lo llamaremos "Allen". Era alto, moreno y guapo, y oh, tan encantador, un tipo encantador con una mala racha. Lo único es que no tenía trabajo ni carro, todavía estaba en la escuela y vivía con su mamá. Amaba al Señor y le servía. Oh, pero estaba conmigo y me dijo: "Estoy aquí para ti". Nunca nadie me había dicho eso; eso solo pasa en las películas. El hecho es que se convirtió en mi proyecto.

Mientras recuerdo y me pregunto qué fue lo que nos unió tanto y tan rápido, creo que fue el amor por la música y nuestros corazones rotos. Lo conocí en la iglesia, donde tocó mi himno favorito: "Cuán grande es Él". Y adivina, también era su favorito. Nos miramos y dijimos: ¿Qué estamos cantando? Y empezó a tocar mi himno favorito.

La última vez que conecté con alguien a través de la música fue con mi padre cuando tenía cinco años. *Por eso necesitamos resolver los problemas del pasado antes de continuar con cosas nuevas en la vida.* Esto es muy importante. En mi caso, TODAS las señalas de alarma estaban ahí, pero no presté atención o no las reconocí porque estaba demasiado ocupada "haciendo" algo o "rescatándolo". Poco después de salir con él y conocer a su madre, me enteré de que estaba luchando contra una adicción a las drogas y nunca me lo mencionó.

Esta relación me obligó a reflexionar en lo que estaba haciendo. ¿Cómo lo atraje a mi vida? Ambos estábamos rotos y perdidos, buscando a Dios y al amor; alimentábamos las necesidades del otro. Estaba obsesionada con él y él estaba obsesionado conmigo. Mis amigos y mi familia no podían entender cómo o por qué estaba con él. Estaba cegada por la necesidad de rescatarlo y llenar algo dentro de mí.

Después de enterarme de sus abusos y de observarlo, supe que no estaba haciendo lo necesario para vivir una vida libre de drogas. Decidí terminar nuestra relación, y fue una de las cosas más difíciles que he hecho. No olvidemos que soy la mayor de seis hermanos y la que ayudó a mi madre a criarlos. Yo arreglaba cosas, ayudaba a cualquier persona que necesitara ayuda y tenía éxito en ello. Esta vez no. Tuvo una sobredosis. Le pregunté a Dios, "¿Por qué?". Yo le había dado todos los recursos y lo había ayudado tanto como había podido.

Necesitamos resolver los problemas del pasado.

Al poco tiempo recibí una llamada de su madre

y me dijo que estaba en el hospital conectado a un respirador, sin esperanza de sobrevivir. Los informes policiales decían que se trataba de una sobredosis. Me sentí culpable; ¿por qué había dejado de hablar con él? Tal vez si hubiera puesto más presión, esto no habría sucedido.

Él ya había estado viendo a un psicólogo y estaba asistiendo a clases de abuso de sustancias. En ese momento, nadie podría haberlo salvado más que él mismo. Busqué terapia para mí porque me culpaba de lo que había pasado.

Al reflexionar sobre esta experiencia, puedo ver que el miedo me salvó. Una de mis oraciones es para que Dios me oriente. Debemos cuidarnos a nosotros mismos. ¿De qué me habría servido si hubiera seguido el mismo camino que él? El miedo es visto como algo negativo, lo cual es cierto cuando tememos cosas que son falacias. Por ejemplo, cuando le tememos a que haya un monstruo en el closet o a tomar riesgos en la vida porque nos asusta lo desconocido. ¿Cómo el Señor está tratando de

EL MIEDO QUE ME SALVÓ

salvarte? ¿Le has pedido que te guíe? Él es un buen padre, pregúntale y recibirás. ¿Crees?

El comienzo de la sabiduría es el temor del Señor; conocer al Santo es tener discernimiento.

(Proverbios 9:10 NVI)

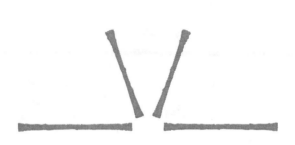

10 MI REGALO DE DIOS

Tras el fallecimiento de mi amigo, me sentí desolada y caí en la depresión. Lo que es peor, estaba otra vez cuestionando a Dios. ¿Por qué vine a este mundo a sufrir? Le pregunté a Dios. Me sentía derrotada y abandonada. Allí estaba yo, luego de haber pensado que ya había terminado de culpar a Dios por todo lo que pasaba en mi vida y lo hice otra vez.

De una forma u otra, la mayoría de los hombres que han pasado por mi vida me han hecho daño de manera intencional o sin querer. Esta había sido la primera vez que había establecido una relación agradable y amistosa con un hombre que me decía con frecuencia: "Puedes contar conmigo". Y luego murió.

Estaba molesta, pero más que molesta, estaba muy triste por toda la situación. Le oré a Dios y volví a cuestionarlo. En ese momento, mi corazón deseaba que estuviera felizmente casada y establecida en mi casa con mi familia. Y volvía a estar sola, sin pareja, sin esposo. El mundo de las citas era anticuado y yo ya estaba harta de él.

Decidí cursar un doctorado y me decidí por uno que se ajustaba a mis necesidades. Estaba contenta porque este programa requería que todos los estudiantes se quedaran dos semanas de cada verano durante los tres años siguientes en el George Williams College de Lake Geneva.

Cuando estaba pequeña, soñaba con ir a la universidad; era uno de mis sueños. Si aceptaba este programa, esto se convertiría en realidad, pero en ese momento no lo sabía. Sin embargo, el Señor me devolvió lo que el enemigo me robó. Este lugar era especial para mí. Mi mejor amiga y yo hemos visitado este lugar durante los últimos

¡CELÉBRATE! Él te hizo tal como eres, y lo hizo con un propósito.

20 años. Lo tomé como una señal y dije: "Sí, este es mi programa".

Mientras conducía para ir a Lake Geneva, entré en las redes sociales y pedí oraciones para comenzar mi nuevo viaje. Una persona me escribió y me dijo: "Oro por las misericordias del viaje, que Dios proteja tu ida y tu vuelta". Tal vez usó otras palabras, pero ese es el sentimiento del que hablo. Este mensaje era de un hombre que había conocido en el estudio de grabación de un amigo en común. Ese día solo nos saludamos y nos dijimos adiós.

Debo ser honesta contigo. ¿Conoces esas películas de Hollywood en las que los ojos de dos personas se encuentran y se quedan mirando por un rato? Bueno, sin exagerar, eso es exactamente lo que ocurrió con nosotros. Nuestros ojos se encontraron, y me pareció tan guapo y educado. Me conquistó solo con un "hola". Sí, como en las películas, jajaja...

Mientras caminaba hacia mi carro, descarté haber sentido una atracción inmediata por este hombre. Y aquí estaba él enviándome un mensaje con esta hermosa oración. Repito, pensé que era lindo, pero me dije a mí misma: "Acabo de comenzar este programa de doctorado, no es el momento de comenzar una relación romántica".

¡Dios es tan asombroso! Verás, Sus métodos no son los mismos que los nuestros. Cuando eres hijo de Dios Todopoderoso, no estás verdaderamente en control. Él tiene un plan y lo hará contigo o sin ti. Dios puede hacer todo mucho más abundantemente de lo que pedimos o entendemos (ver Efesios 3:20). Dije que sí a esta relación y desde las primeras citas, sabíamos que había algo especial y que Dios nos había juntado. Él es mi regalo de Dios.

Nunca había conocido a un hombre como mi esposo: respetuoso y cariñoso. Lo que me conquistó fue la forma en la que trataba a su madre. No estoy segura de quién dijo esto, pero sí, señoritas, presten atención a la manera en la que el hombre con el que están saliendo trata a su madre. Va a pasar una de estas dos cosas: te va a tratar peor o mejor.

MI REGALO DE DIOS

Antes de conocerlo, nunca me habían tratado con tanto amor y cariño. Este hombre es la epifanía de lo que dice la Biblia sobre los maridos.

Maridos, amad a vuestras mujeres
[buscad el mayor bien para ella y
rodeadla de un amor cariñoso y
desinteresado], así como Cristo amó a
la iglesia y se dio a sí mismo por ella.
(Efesios 5:25)

Cuando conocí a mi marido, sentí el amor de Dios con mucha fuerza. Fue como si hubiera recibido un abrazo del cielo, directamente de mi Padre Celestial. Dios sabía que no podía soportar otra decepción y me envió un regalo desde lo alto: mi marido, Michael.

Pero de una cosa estoy seguro: he de ver
la bondad del Señor en esta tierra de los
vivientes (Salmos 27:13 NVI).

11 MI INSPIRACIÓN

Los expertos dicen que el primer modelo a seguir en la vida de una niña es su madre, sin importar si es una buena madre o no. Yo debo decir que tengo el mejor modelo a seguir en el mundo. Mi madre es mi inspiración. Desde muy pequeña, mi mami cuidó de sí misma y de sus hermanos. Trabajó muy duro, y como yo, sabía que había algo mejor para su vida. Los recuerdos que tengo con mi mamá son inolvidables.

Mi mamá siempre fue guapa. Es una luchadora enfocada en cumplir sus metas y sus sueños, y su FE es inconmensurable. Tengo una madre que ama y sirve al Señor. Siempre se ha esforzado para mejorar; no solo para sí misma, sino para las personas que la rodean, sus hijos, su familia y sus amigos.

Mi madre valora mucho a su familia porque en sus propias palabras, ella "no tuvo una". El objetivo de mi madre era y sigue siendo mantener unida a su familia. Ella no nos deja separarnos, ¡no sé cómo lo hace! Pero todos en nuestra familia se sienten especiales, amados y sienten que son los favoritos de la "uela".

Mi madre también me hace seguir adelante. No le gusta que me ponga triste o me desanime; se pone a orar y activa su fe.

Mi madre es la imagen del valor y la fuerza. Algo que se ha convertido en el legado de nuestra familia es el tiempo que pasamos juntos. Hoy día, practico esto mismo que aprendí mientras crecía con mi mamá, y es algo hermoso. Pasen tiempo con su familia, la vida es demasiado corta.

Si te has desconectado de tu familia, intenta conectarte con ellos de nuevo. Lo pasado, pasado está, ámense los unos a los otros como Cristo nos ama. Si no saben amar, pidan a Dios lo que pidan en el nombre de Jesús, creyendo que lo recibirán, y lo recibirán según su voluntad y propósito (ver Juan 14:3, Romanos 8:28).

Todos necesitamos algo de inspiración. ¿Quién te inspira? Aprende de ellos. No tengas miedo de hacer preguntas.

Me encanta hablar sobre mis esfuerzos con mi madre. Siempre que tengo que tomar una decisión importante, le pregunto a mi madre: "¿Qué opinas?". Es una mujer sabia; ha vivido una larga vida con pruebas y tribulaciones, y lo que aprendió en la vida no se aprende en ninguna escuela. Al final, tomo mi propia decisión, pero siempre es sabio buscar sus consejos.

Al necio le parece bien lo que emprende,
pero el sabio escucha el consejo.
(Proverbios 12:15 NVI)

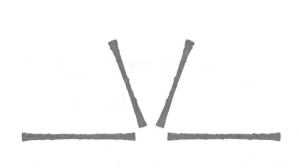

12 CONFIAR NO FUE FÁCIL

Una vez que nuestro sentido de seguridad es alterado, es difícil confiar, incluso en Dios. Sin embargo, debemos entender que Dios no nos pide que hagamos algo para lo que no nos ha equipado. Necesitamos pedirle ayuda y sabiduría, y Él nos la dará abundantemente y sin reproche (ver Santiago 1:5).

También necesitamos fe; podemos pedirle a Dios fe (ver Efesios 2-8-9).

Ahora bien, la fe es la certeza (título
de propiedad, confirmación) de lo que
se espera (divinamente garantizado),
la convicción de lo que no se ve...
(Hebreos 11:1)

Por favor, debes saber que tenemos un Padre Celestial que se preocupa por lo que les sucede a Sus hijos.

Mi vida no fue fácil; todavía no lo es. Esos

demonios a veces todavía quieren perseguirme. Recuerdo cada día que debo confiar en Dios, debo adentrarme en su Palabra y adoptar Sus métodos, no los míos. La Palabra dice:

Fíate de Jehová de todo tu corazón, y no te apoyes en tu propia prudencia.

(Proverbios 3:5 RVR 1960)

Él énfasis está en *"de TODO tu corazón y no te apoyes en tu propia prudencia"*. Fallamos cuando nos apoyamos en nuestra prudencia. Necesitamos ir a la fuente: nuestro creador.

No sé tú, pero yo no entiendo muchas cosas en este mundo. He aprendido a confiar en un Dios amoroso y poderoso. Él sabe lo que es mejor y TODO funcionará para nuestro bien. Sé que no siempre es fácil, pero es importante pedirle a Dios que nos guíe, que nos dé sabiduría y fe. Su Palabra dice que necesitamos pedirle ayuda y sabiduría, y Él nos la dará abundantemente y sin reproche (ver Santiago 1:5). La sabiduría de Dios no viene como tú crees que debería venir. Su guía es sutil. ¿Estás escuchando? ¿Hay mucho ruido en tu vida? ¿A quién recurres para que te guíe? ¿Tienes seguridad? ¿Amor?

Algunas de las cosas que he logrado en mi vida han sido increíbles a pesar de las muchas barreras que había. Le pedí a Dios sabiduría y orientación; aunque no siempre fui obediente, Él ha sido fiel. Él ha estado allí para mí cuando me sentía perdida y no podía pensar por mí misma, porque me apoyaba en Su Palabra. La Palabra de Dios es clara y poderosa.

Sobre todo, pregúntale a Dios.

Algunas personas pueden pensar que esto es difícil de entender, y esto puede ser porque les falta disciplina para estudiar quién es Dios. ¿Conoces a tu Padre Celestial? ¿Cómo podrías conocerlo si no estudias la Palabra? Te invito a que pidas consejo, preguntes a los pastores, a los líderes espirituales, pero, sobre todo, pregúntale a Dios. Compra diferentes versiones de la Biblia y encuentra la que mejor se adapte a tu estilo de aprendizaje.

Si eres como yo, querrás una copia impresa; pero si las finanzas son una barrera, entonces usa los recursos en línea, hay muchos. Aunque debes investigar, orar, pedirle a Dios que te guíe y empezar a buscar, tu Padre Celestial te verá y recompensará. Lo sé por experiencia propia; yo busqué una relación con Dios y la tengo, y Él sigue guiándome. Ese es el Dios al que servimos, un Dios amoroso.

Pedid, y se os dará; buscad, y hallaréis;
llamad, y se os abrirá.
(Mateo 7:7 RVR 1960)

13 MI VERDADERO YO

Al crecer, luché con problemas de identidad y personalidad. Me doy cuenta de que gran parte de mi rebeldía y discordia con Dios tenía que ver con las preguntas, "¿Quién soy yo?", "¿Por qué nací?", "¿Por qué se supone que estoy aquí?". Uno de los versículos bíblicos que me ayudó en mi camino para saber quién soy es el Salmo 139:13 (RVR 1960), que dice:

Porque tú formaste mis entrañas; Tú me
hiciste en el vientre de mi madre.

Cuando esta Palabra llegó a mí me encontraba en un lugar terrible de mi vida. Ya no quería vivir. No sabía qué hacer conmigo misma ni cómo criar a mis hijos. Recuerdo que una vez entré en una iglesia y me senté en la parte de atrás, como solía hacer. No me sentía digna de estar en una iglesia; esa era una mentira que el diablo quería que creyera.

Estaba sentada en el banco con la cabeza baja y

DIOS no está enojado CONTIGO

alguien (a quien hoy todavía llamo ángel) se acercó a mi oído y me leyó este versículo bíblico: *"Porque tú formaste mis entrañas; tú me hiciste en el vientre de mi madre"* (Salmos 139:13 RVR 1960). No puedo explicar el sentimiento, pero lo intentaré. Sentí como si el mismo Dios me sostuviera en sus brazos y me dijera: "Te amo tanto que me tomé el tiempo para hacerte en el vientre de tu madre". Aún más, lo escuché en lo más profundo de mi alma. Elegí a Marisela para ser tu madre. ¡Ahh! En serio, no puedo explicarlo mejor. Pero ¡sí! Así es exactamente como lo sentí.

> *Aunque a veces no lo veas, Dios trabaja a tu favor.*

Después de este encuentro le pedí perdón a mi madre porque le había faltado el respeto. Era fría y estaba enojada, lo cual más tarde comprendí que tenía que ver con sentimientos reprimidos de abandono y rechazo.

Luego de ese momento, mi vida cambió para mejor. Verás, la gente hablaba de este Dios maravilloso del que yo dudaba desde hacía tiempo. Quería sentir y conocer al Señor por mí misma. Quería saber que pertenecía a ese lugar. Algo cambió en mí una vez que supe que le pertenecía a Dios y a mi mami; supe que era amada. Ahora, estaba en camino de encontrarme a mí misma y de reconciliarme con mi mamá, mi papá, y mi Padre Celestial. Todo eso me llevó mucho tiempo.

Espero que después de leer este libro, hayas podido apreciar cómo hice todo esto. Tal vez te ahorre años de dolor y sufrimiento. Estoy compartiendo las herramientas que me ayudaron a lo largo del camino, y siempre involucraron a Dios, la oración y la reflexión sobre su Palabra.

No me enseñé a mí misma a perdonar y a tener fe; esto vino directamente de Dios. Él me enseñó a perdonar cuando me perdonó y me enseñó a tener fe dándome gracia cada día.

Mas a cuantos lo recibieron, a los que creen en su nombre, les dio el derecho de ser hijos de Dios (Juan 1:12 NVI).

14 CONFÍA EN EL PROCESO

Le digo esto a mis alumnos todo el tiempo: *"Confíen en el proceso"*. Aunque sé que es difícil confiar en un proceso que a veces incluye mucha incertidumbre y dolor, es lo único que podemos hacer; el resto le corresponde a Dios. Intento no enfocarme en lo que no puedo hacer y enfocarme en lo que sí puedo.

Por ejemplo, mientras escribo estas líneas, estamos pasando por una pandemia. Aunque hay muchas cosas que podemos y no podemos hacer durante un tiempo en el que tanta gente se siente perdida y sin esperanza, tenemos que centrarnos en las formas en las que todos podemos unirnos para ayudarnos mutuamente en esta difícil temporada. Me encanta tener la seguridad de saber que, no importa lo que pase, Dios está para nosotros. Él es el único que lo hace en toda circunstancia; no el gobierno, no tu mamá, no tu papá, no tus amigos. Solo Dios.

Confiar en el proceso significa avanzar un paso a la vez, hacer lo que podemos y ayudar a otros en el camino. Es hacer lo que debe hacerse al momento sin preocuparse por el mañana. Es hacer el bien incluso cuando nadie está viendo porque es para el bien mayor y porque lo que le pasa a uno, les pasa a todos.

Confiar en el proceso es confiar en que todo estará bien a pesar de _____ (llena el espacio en blanco). Piensa en todas las veces que has superado un obstáculo. Si estás leyendo este libro, es porque crees en algo más grande. Es porque te esfuerzas por hacerlo lo mejor posible y quieres hacerlo mejor cada día.

En cierto modo, puede que también estés leyendo este libro porque sientes algo por Dios. Estoy aquí para decirte que confíes en el proceso y que confíes en Dios; eso te dará una sensación de paz y tranquilidad. Por favor, hazlo lo mejor que puedas y deja que siga su curso. ¿De qué sirve preocuparnos?

Elijo no preocuparme, sino hacer lo que puedo y dejarle el resto a Dios. Pregúntate a ti mismo: ¿En quién confías? ¿Confías en las personas, en las cosas o en las finanzas? Desde muy pequeña, aprendí que no se puede confiar únicamente en las personas; solo dependo totalmente del Señor. Sé que las "cosas" no me traerán paz. Hubo muchas veces en las que intenté calmar mis preocupaciones con comida y otras cosas; eso no funciona. He aprendido que incluso el dinero viene y va porque no es real.

Confiar en el proceso significa avanzar un paso a la vez.

Mi confianza no está en las cosas que puedo ver. *Pongo mi fe donde importa, en el Creador, el que lo sabe todo, el que no fallará.* Él lo ha demostrado una y otra vez. Lo hizo con el pueblo de Israel; lo hizo con Abraham, Isaac y Jacob. ¿Por qué no lo haría por nosotros? Él vendrá con fuerza, tal como dice Su palabra. Él va delante y detrás de nosotros y Él no te abandonará. Encuentra consuelo y paz en Dios, una paz que sobrepasa todo entendimiento (ver Filipenses 4:7). Él lo hizo por mí y lo hará por ti.

Por nada estéis afanosos, sino sean
conocidas vuestras peticiones delante
de Dios en toda oración y ruego, con
acción de gracias. Y la paz de Dios,
que sobrepasa todo entendimiento,
guardará vuestros corazones y vuestros
pensamientos en Cristo Jesús.
(Filipenses 4:6-7 RVR 1960)

15 ¡DIOS SE ENCARGARÁ DE TI!

Si tú aceptaste a Jesús como tu Señor y Salvador, tú eres un hijo de Dios. Tú eres hijo de Dios Todopoderoso, del creador y hacedor de los cielos y de la tierra. El que dio a su único hijo para que muriera por nosotros a fin de que tuviéramos una vida eterna (ver Juan 3:16). Solo me tomó un minuto decir: *"Jesús, perdóname, ven a mi corazón, te recibo como mi Señor y salvador"*. Pero me tomó una vida vivir como una cristiana que realmente creía estas palabras.

En el fondo de mi corazón, siempre supe que había un Dios. Él estuvo conmigo cuando me violaron y cuando no pude acabar con mi vida. La gente adora a muchos dioses diferentes. Una cosa que aprendí es que tenemos que saber quién es nuestro Dios y qué hace. ¿Quién es tu Dios? Mi Dios es el Todopoderoso.

...el Alfa y la Omega, el Primero
y el Último, el Principio y el Fin.

(Apocalipsis 22:13 NVI)

El que está siempre a mi lado y no me dejará ni me desamparará (ver Deuteronomio 31:6 RVR 1960); ese es mi Dios. ¿Cómo llegué allí? Llegué allí a través de muchas pruebas y tribulaciones, y vi a Dios a través de los milagros en mi vida. Todavía veo Sus bendiciones en mi vida cada día cuando abro los ojos.

El mero hecho de que estés leyendo esto me dice que hoy has experimentado un milagro; estás respirando y estás vivo. Más aún, te estás esforzando para crecer espiritualmente en tu relación con Dios. Pon todas tus preocupaciones, esperanzas y sueños en la mano de Dios porque Él se encargará de ti.

La Palabra de Dios dice:

y me buscaréis y me hallaréis porque
me buscaréis de todo vuestro corazón.

(Jeremías 29:13 RVR 1960)

Él recompensa a todos los que le buscan y se acercan a él (ver Hebreos 11:6). Permanecer en la Palabra me ha servido de guía; la Palabra de Dios es una lámpara a nuestros pies (ver Salmos 119:105). No puedo enfatizarlo lo suficiente; quien necesite sabiduría, que se la pida a Dios. Cuando necesité sabiduría y orientación en mi propia vida, Él mantuvo sus promesas al salvarnos a mis hijos y a mí.

Hoy disfrutamos de una vida que nunca hubiera podido imaginar. Habrá problemas en la vida de todos, pero lo importante es saber que Dios está con nosotros y si se lo permitimos, nos guiará a través de estos problemas. Y Dios está muy lejos de terminar su labor en esta tierra. Su Palabra dice que toda la Tierra conocerá su gloria. ¡Amén!

Porque, así como las aguas cubren los mares, así también se llenará la tierra del conocimiento de la gloria del Señor.
(Habacuc 2:14 NVI)

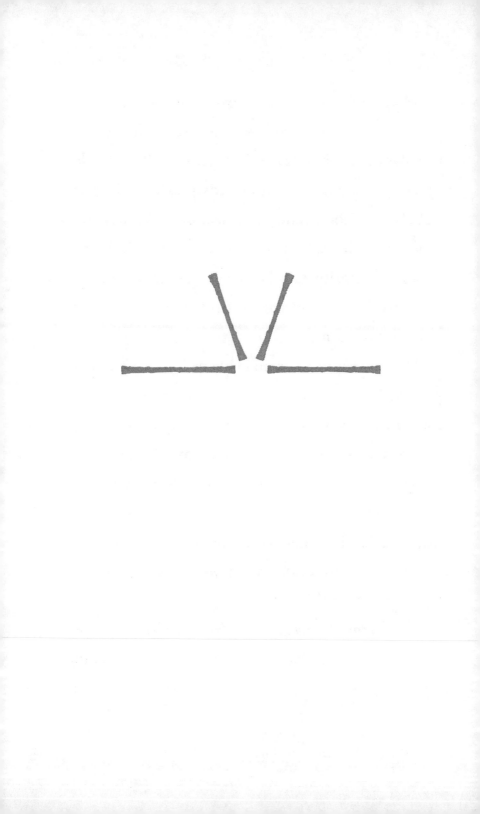

16 NO DEJES QUE NADIE SE ROBE TU ALEGRÍA

¿Qué pasa cuando te sientes triste? Se siente como si alguien te hubiera quitado la vida. Esto es exactamente lo que pasa cuando dejamos que las personas y las circunstancias se roben nuestra alegría; nos quitan la vida y nos sentimos derrotados. La Palabra de Dios afirma que "...*el gozo de Jehová es nuestra fuerza*" (Nehemías 8:10 RVR 1960). Cuando leí esta Palabra, me dio poder. Significa que no debo dejar que nada ni nadie me quite la alegría porque también me quitará la fuerza.

¿Alguna vez te has sentido cansado? Bueno, así es como me siento cuando dejo que las cosas me roben la alegría. Me siento agotada y, cuando esto sucede, me pregunto qué está pasando. Por ejemplo, cuando veo las noticias, a veces me siento desesperada por todas las cosas negativas que ocurren en el mundo. Lo importante aquí es estar atentos a las cosas que nos afectan y ser sabios. Puedes escuchar sin dejar que las cosas se graben en tu corazón y en tu mente. Limita el tiempo que pasas viendo las noticias, y finalmente, pon tu esperanza y fe en las promesas de Dios, no en las cosas de este mundo. Su Palabra dice:

El cielo y la tierra pasarán, pero
mis palabras jamás pasarán.
(Mateo 24:35 NVI)

No podemos permitirnos estar tristes o sin alegría por mucho tiempo. Sin embargo, podemos ponernos tristes, podemos llorar, es bueno para el alma hacerlo de vez en cuando. Somos humanos. Lo que insisto es que no te quedes allí demasiado tiempo; puedes caer en un agujero mucho más profundo del que es difícil salir.

Si crees que necesitas ayuda profesional, busca un médico o un consejero que te ayude en el proceso. Dios también es su creador; Él no te guiará por el camino equivocado. ***Estás justo donde***

NO DEJES QUE NADIE SE ROBE TU ALEGRÍA

deberías estar; deja que Dios haga el resto. Sin embargo, Él necesita que pongas de tu parte. Busca primeramente el reino de Dios (ver Mateo 6:33). Necesitamos aferrarnos a las promesas del Señor cuando las cosas se ponen difíciles. Necesitamos...

Estad siempre gozosos. Orar
sin cesar. Y dad gracias en todo
porque esta es la voluntad de
Dios para con vosotros en
Cristo Jesús.
(1 Tesalonicenses 5:6-18 RVR 1960)

Este es uno de mis versículos favoritos porque me permite vivir en abundancia y en la presencia de Dios todos los días. Todos los días podemos elegir estar alegres, incluso a través de las decepciones, porque cada día podemos dar gracias por sus bendiciones. Debemos elegir vivir con alegría porque si la perdemos, perdemos nuestra fuerza.

Luego les dijo: Id, comed
grosuras, y bebed vino dulce,

y enviad porciones a los que
no tienen nada preparado;
porque día santo es a nuestro
Señor; no os entristezcáis,
porque el gozo de Jehová es
vuestra fuerza.
(Nehemías 8:10 RVR 1960)

17 YO ERA UN DESASTRE

Me diagnosticaron depresión, mi peso fluctuaba, no podía mantener una relación sana y no había establecido límites saludables en mi vida. Vivía de forma peligrosa; iba a lugares a los que nunca debería haber ido. Mentía cuando no me gustaba algo o alguien. Estaba molesta y descontenta conmigo misma. No tenía claras mis prioridades. Le hice daño a la gente que amaba porque era imprudente y no sabía cómo actuar.

Les hice daño a mis hijos. A veces los padres olvidamos que hay pequeñines que nos observan mientras hacemos lo que creemos que es correcto. Ellos observan cada uno de nuestros movimientos, la forma en la que caminamos, comemos o bebemos y especialmente lo que decimos y con quién hablamos. *Todo momento en la vida de un niño es de aprendizaje. Nunca lo olvides.*

Si eres una persona que suele pensar que "la vida

es un asco", ¿cómo crees que pensarán tus hijos?
Pensarán como tú y harán lo que tú hagas, no lo que
digas. Aunque nos gusta descartar rápidamente a las
personas mayores de nuestra
vida, déjame decirte que
algunos tienen mucha
sabiduría porque ya
han pasado por ese
camino y han hecho
lo que nosotros no
debemos hacer. Ellos
nos advierten.

Quien necesite
sabiduría,
que se la pida
a Dios.

Lo que quiero decir es
que lo que hacemos afecta a los que nos rodean.
Cuando empecé a ir a la iglesia y me enamoré de
Jesús y de su Palabra, compartí mi entusiasmo y
a Jesús con todos los que encontré. En el camino
hacia el cielo, me desvié y aquellos que estaban
creyendo conmigo también se desviaron. Solo me
puedo imaginar lo que pensaron: "Todo lo que dijo
Maribel era mentira y ahora está haciendo todo lo

que dijo que Dios no quiere para nuestras vidas".
Me sentí regañada como el profeta Ezequiel, quien
debía ser vigilante y llevar la verdad al pueblo de
Israel.

El Señor le dijo:

...Estás condenado a muerte. Si tú no
le hablas al malvado ni le haces ver su
mala conducta, para que siga viviendo,
ese malvado morirá por causa de su
pecado, pero te pediré cuentas de su
muerte (Ezequiel 3:18 NVI).

Sentí como si Dios me estuviera diciendo lo
mismo.

Me senté con mis cuatro hijos y les pedí
perdón. No les di ninguna explicación y ellos no
la necesitaban. Ellos necesitaban saber que tenían
una madre que se arrepentía y que los amaba.
Por favor, presta mucha atención a lo que estoy
diciendo. Cuando le haces daño a alguien, no
importa cuántas razones (o excusas) puedas tener
(en tu mente) para justificar tu comportamiento.

Lo real es que les hiciste daño. Si aún no has experimentado el hermoso regalo del perdón, te animo a que lo pruebes. Solo di que lo sientes, eso es todo lo que necesitas decir.

La Palabra de Dios es clara al respecto:

Deja allí tu ofrenda delante del altar,
y anda, reconcíliate primero con tu
hermano, y entonces ven y presenta tu
ofrenda (Mateo 5:24 RVR 1960).

Esto trata de las ofrendas y el diezmo que llevamos al altar en la iglesia. Para aquellos que buscan una excusa para no dar o traer ofrendas, bueno, ¡aquí tienen! ¡Ya tienen una! Pero sepan esto: la falta de perdón bloquea todas las hermosas bendiciones que vienen de ella, como la sanación.

¿Hay alguien en tu vida que necesitas perdonar? ¿Hay alguien en tu vida con quien necesitas disculparte? El Señor es claro al respecto. Él está diciendo que antes de dar, perdones. ¡Aleluya! ¡Alabado sea Dios! ¡Me emociono porque el Señor siempre tiene razón! ¡El perdón me liberó!

Necesitaba perdonar a las personas que me hicieron daño, incluyéndome. Esta es una batalla diaria. Dios me perdonó, por lo tanto, no hay condena en mi vida. Jesús murió por nuestros pecados. Lo que quiero que sepas es que Dios transformará tu vida. Él te dará *"gloria en lugar de ceniza"* (Isaías 61:3 RVR 1960) y lo hará aceptando que Jesús murió en la cruz para salvarte. Al confiar y creer en Dios, al mantener una relación con el Señor a través de la oración y del estudio de la Palabra, tu vida cambiará. La Palabra dice *"la renovación de vuestro entendimiento"* cambiará tu vida (Romanos 12:2 RVR 1960).

Pero nosotros todos, con el rostro descubierto, contemplando continuamente como en un espejo la gloria del Señor, estamos siendo transformados progresivamente a su misma imagen de [un grado de] gloria en [aún más] gloria, que viene del Señor, [quién es] el Espíritu (2 Corintios 3:18).

Si eres como yo, has intentado todo lo demás y aún no te sientes lleno, ¡es porque el único que puede llenar nuestra alma es Jesús!

No se amolden al mundo actual, sino sean transformados mediante la renovación de su mente. Así podrán comprobar cuál es la voluntad de Dios, buena, agradable y perfecta.

(Romanos 12:2 NVI)

18 MINISTERIO ETERNAMENTE AGRADECIDA

El Ministerio Eternamente Agradecida nació del agradecimiento que tengo por lo que el Señor ha hecho en mi vida. A través de este ministerio, comparto mi testimonio con la esperanza de ayudar a las personas, especialmente a las mujeres, a liberarse de la culpa, la vergüenza y la duda, lo que no les pertenece. Con la ayuda de mi esposo, publicamos un diario titulado *Eternally Grateful- Eternamente Agradecida* (2017). Este diario tiene versículos de la Biblia que me ayudaron en mi proceso de sanación. Mientras lo escribía, meditaba sobre la Palabra. Escribí sobre lo que sentía que el Señor me decía. También le pedí a Dios que me guiara cuando no podía encontrarle sentido a lo que estaba leyendo. Para mí, llevar un diario es como hablar con Dios.

Soy un milagro y estoy aquí porque Dios me

salvó. Sirvo al Señor porque creo en Su sacrificio y en su poder curativo. Mientras dirigía el ministerio de música en la iglesia, el pastor sugirió que grabáramos un CD y diéramos un concierto para predicar el evangelio y recaudar fondos para la iglesia. Yo me mostraba reacia. Como es costumbre, me molestó y Dios habla. Hicimos el concierto y fue un éxito.

La gente vino y recibimos muchos testimonios. Uno de los que tocó mi corazón fue el de una mujer de Ecuador que se autoproclamaba atea y dijo que nunca había creído en Jesús. Compartió que cuando le diagnosticaron un cáncer terminal buscó ayuda y buscó al Dios del que la gente hablaba. Mientras buscaba en las emisoras de radio, escuchó al presentador del programa mencionar que pondrían una canción de un cantante cristiano de Chicago que acababa de sacar un álbum. Decidió escuchar la canción, y mientras lo hacía, dijo que escuchó al Señor llamándola. Cayó de rodillas y lo llamó.

Hoy estoy feliz de informar que ella está sana.

Como resultado, aceptó a Jesús como su Señor y salvador, y toda su familia también se ha salvado.

Supe una vez más que Dios tenía un plan. No sabía que ese concierto iba a servir para salvar tantas vidas. Comencé a compartir mi testimonio poco a poco y le seguí pidiendo a Dios que me guiara y me apoyara.

Lo que hacemos afecta a los que nos rodean.

Mientras compartía mi testimonio en diferentes eventos, las mujeres se acercaban y compartían cómo ellas también habían sufrido abusos sexuales o eran sobrevivientes de violencia doméstica. Me agobiaba encontrar palabras para compartir con ellas sobre cómo Dios me ayudó a sanar.

Una noche le pregunté a Dios: "Señor, por favor, ayúdame, ¿cómo me has estado sanando? ¿Por qué me va bien mientras que otros parecen estar estancados o siguen sufriendo?". Escuché a Dios alto y claro: "Muéstrales cómo te he ayudado". "¿Cómo me has ayudado?", pregunté. Me respondió: "Llevando un diario, no solo escribiendo, sino anotando explícitamente los versículos bíblicos, meditando sobre la Palabra y registrándolo en tu diario". Cuando comencé a escribir la Palabra de Dios, se plantaron las semillas que dieron fruto a lo que el Señor quería para mi vida. La Palabra de Dios salvó mi vida.

Llevé un diario, oré y le pedí a Dios que me revelara lo que Él quería que yo supiera sobre Él y mi vida. Quiero animarte a que hagas esto a solas con Dios. Hay algunas escrituras donde puedes leer sobre los murmullos de Dios. Una de mis favoritas es cuando el Señor se le apareció a Elías:

Tras el terremoto vino un fuego, pero el Señor tampoco estaba en el fuego. Y después del fuego vino un suave murmullo. Cuando Elías lo oyó, se cubrió el rostro con el manto y, saliendo, se puso a la entrada de la cueva.

Entonces oyó una voz que le dijo:

¿Qué haces aquí, Elías?

(1 Reyes 19:12-13 NVI)

Casi puedo ver al Señor llamándonos, pero muchas veces estamos ocupados y hay mucho ruido en nuestras vidas que no nos permite oírlo. Inténtalo, encuentra un lugar tranquilo, crea una sala de oración y háblale a tu Padre Celestial, y no olvides escuchar.

Mi corazón sufre por la gente que está triste, perdida y deprimida. Jesús es la respuesta. Solo Dios puede llenar el vacío en nuestras vidas. Eso fue lo que me pasó a mí. Me sentía perdida, asustada, molesta, triste y no sabía qué hacer. Y luego, Él me salvó. La Palabra se cumplió en mi vida, y aquí estoy, eternamente agradecida con mi Padre Celestial por salvarme y salvar a mi familia.

Su Palabra dice: *"...Dios fiel, que guarda el pacto y la misericordia a los que le aman y guardan sus mandamientos, hasta mil generaciones"* (Deuteronomio 7:9 RVR 1960) y yo le creo. Decidí hablar con Dios y pasar tiempo con Él. Sabía de Él y quería aprender más sobre Él y lo que dijo que haría. Tenía mucha curiosidad. No es de extrañar que sea la Dra. López, ¡tan curiosa!

Me di una oportunidad, una oportunidad para creer y cambiar mi vida. ¡Quería más! ¡Sabía que estábamos hechos para más! Me preocupaba por mis hijos. ¿Qué consecuencias iban a sufrir por mis acciones? Una de las cosas que me llevó a profundizar mi relación con Dios fueron mis hijos; ellos no pidieron venir a este mundo. El Señor me confió sus vidas y un día tendré que responder ante Dios: ¿Qué hice con mis hijos?

Ya sea que te desvíes a la derecha o a la izquierda, tus oídos percibirán a tus espaldas una voz que te dirá: Este es el camino; síguelo (Isaías 30:21 NVI).

19 MANTENTE ENFOCADO... SIGUE ADELANTE

Hay muchas distracciones que nos alejan de las cosas esenciales de la vida, pero sobre todo de Dios. Nacimos para hacer grandes cosas. Sin embargo, como dicen, la vida pasa y da luz a diferentes sentimientos terribles y mentiras que nos mantienen abatidos. Tu pasado no tiene que definirte. Muchas veces permitimos que nos defina. Yo vivía con muchas dudas y condena, estaba plagada de una culpa que no me pertenecía, y esta era una forma destructiva de vivir.

Mi enfoque era diferente: dependía mucho de las cosas mundanas y de la aceptación de los demás. Yo no fui la única que sufrió, mis hijos sufrieron aún más. No puedo vivir con culpa, vergüenza y duda, y tú tampoco deberías hacerlo. Cuando vivimos así, negamos lo que Jesús hizo en la cruz, y le hacemos daño a otras personas inocentes. Sin embargo, aprendí a reflexionar sobre los errores del pasado, a aprender de ellos y a seguir adelante. Incluso las lecciones más pequeñas son cruciales para hacer pequeños cambios y avanzar. Mantente conectado a la cruz para no caer; Dios no nos dejará caer.

Tendemos a torturarnos con los errores que hemos cometido, hasta el punto de sentir que el mundo se acaba. En realidad, los errores forman parte de la vida. Yo he cometido muchos errores, he aprendido de ellos y he vuelto a empezar.

Por favor, no me pregunten cuántas veces he intentado algo y he vuelto a empezar. Este libro, por ejemplo, es mi tercera vez. He publicado dos libros más. El primero es *Diario Eternamente Agradecida,* en el que comparto cómo Dios me ayudó a sanar. Pero sinceramente, no había compartido mi testimonio con todo detalle porque no estaba preparada.

Una cosa que aprendí sobre la sanación es que es un proceso. No intentes apresurar el carro de la sanación. No funciona así, al menos para mí. Piénsalo; cuando arrastras un vagón con muchas cosas, tiende a caerse. Lo mismo nos pasa a nosotros: **cuando tratamos de apresurarnos, nos caemos y sentimos que estamos fallando.** A veces incluso empezamos a sentir que somos indignos y rechazados por Dios. Eso está muy lejos de la verdad. Dios nos ama, Él nos creó. ¿Crees que Él no sabe quién eres y cuándo vas a fallar? Dios lo sabe todo. La Palabra dice que "…*los cabellos de nuestra cabeza están contados…*" (Lucas 12:7 NVI). ¡Ah! ¡Eso es tan asombroso!

¡Le servimos a un Dios ASOMBROSO!

El segundo libro que publiqué fue inspirado por mis estudiantes y para mis estudiantes. En ese libro, comparto algunas citas y lecciones que me ayudaron en mi viaje académico. Compartí cómo me levantaba cada día creyendo que podía y las formas en las que perseguí mis metas. Yo digo que "perseverancia" es mi segundo nombre. No importa por lo que estés pasando en este momento, no importa que estés en el vagón de la sanación, sigue perseverando.

Confía en el proceso, síguelo día a día, cree en Dios y confía en Él. ¡Persevera y gana la carrera de la vida! ¡Te mereces experimentar una mejor vida! Una vida pensada para vivirla libremente, libre de todas las cosas que te deprimen. Sé amable contigo mismo, cuídate, cree en ti y en las fuerzas que Dios te ha dado. Tienes poder y ni siquiera te das cuenta de su magnitud.

Tienes poder y ni siquiera te das cuenta de su magnitud.

El tiempo de Dios es perfecto. Él trabajará contigo si se lo permites. Él no les impondrá su voluntad a sus hijos. Estoy compartiendo la historia de mi vida porque es el momento adecuado, el momento adecuado para mí, ya que aquí es donde estoy en el viaje de mi vida. Me siento capacitada y honrada de compartir mi experiencia mientras espero transmitir la esperanza y el amor de Dios tal y como lo recibí. Tengo un sentimiento de responsabilidad sobre todo cuando hablo con personas que dicen estar desesperadas y no tener esperanza. No me guardo esta bendición para mí, tengo que compartirla.

El mensaje del Señor es de esperanza y amor. La humanidad necesita amor, hay mucho dolor y desesperación. La gente busca a Dios y al amor en los lugares equivocados. Seguirán haciéndolo si nosotros, el pueblo del Señor, no nos levantamos y compartimos las buenas noticias. La buena noticia es que hay un Dios que se preocupa y quiere una relación con nosotros. No podemos ver el cambio si no aceptamos el cambio.

He luchado con la decisión de compartir la historia de mi vida por muchas razones. Una de esas razones es una con la que quizás estés familiarizado: ser vulnerable frente al mundo. La imagen de ser una mujer fuerte ha sido importante para mí. Mientras crecía, me sentía fuerte porque soportaba mucho y no pedía ayuda. La realidad es que ser fuerte y ser vulnerable son sinónimos. Son mis experiencias vitales las que me han enseñado que soy más fuerte en mis momentos más débiles. *"...porque mi poder se perfecciona en la debilidad..."* (2 Corintios 12:9 RVR 1960).

Si has sufrido un trauma, debes saber que *en nuestros momentos más vulnerables es cuando somos más fuertes.* Por lo tanto, buscar ayuda profesional como asesoramiento pastoral o terapia profesional puede que sea la mejor decisión que puedes tomar por ti mismo. Ser vulnerable con las personas adecuadas nos pone en el camino de la victoria y la sanación. Para mí ha sido un proceso largo, muy largo, y me ha tomado mucho tiempo llegar hasta aquí, pero eso está bien. Así es mi viaje y mi sanación, y así es exactamente como deberías sentirte en tu propio viaje.

No te apresures porque Dios trabaja con nosotros y para nosotros, no contra nosotros. Nada es nuevo bajo el sol; el Señor sabe por lo que estamos pasando. Él escucha nuestro llamado y se preocupa.

Pero él me dijo: Te basta con mi gracia,
pues mi poder se perfecciona en la
debilidad. Por lo tanto, gustosamente
haré más bien alarde de mis
debilidades, para que permanezca sobre
mí el poder de Cristo.

(2 Corintios 12:9 NVI)

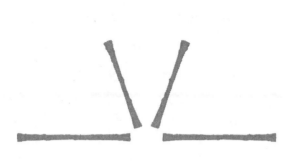

20 ¡CELEBRA TU VIDA!

Cualquiera que me conozca sabe que celebro mi cumpleaños como si tuviera un año otra vez. Celebro mi vida porque la valoro. Verás, actualmente amo mi vida. Pero hubo un tiempo en el que pensé que no valía nada y que no tenía sentido. Había mucho dolor y tristeza. Esto, por supuesto, fue antes de que Jesús viniera a mi vida y la cambiara. También quiero compartir que el hecho de que aceptes a Jesús como tu Señor y Salvador no significa que no sentirás el dolor que se ha estado gestando en tu vida. Quizás tomará tiempo. Te insto a que hagas lo que debes hacer: orar, pedirle al Espíritu Santo que te guíe, meditar en la Palabra, comer bien, dormir bien, tomar tus vitaminas, buscar a alguien en quien confíes o a un profesional.

La Palabra de Dios tiene el poder de sanarte. Sin embargo, tú debes hacer tu parte. Encuentra

DIOS no está enojado CONTIGO

a Dios en la mitad del camino. No significa que Dios no pueda sanarte al instante, significa que Él te creó a Su imagen y semejanza. Él sabe que tienes el poder de tener éxito en todo lo que haces porque Él te creó. Date una oportunidad.

Honra las cosas que te hacen ser quien eres, celébrate. La gente ha compartido conmigo lo difícil que ha sido para ellos vivir sus vidas. Las tradiciones culturales y los sistemas de creencias han obstaculizado su capacidad o deseo de vivir la vida que quieren vivir. Incluso Jesús dijo: *"… ¿Por qué también vosotros quebrantáis el mandamiento de Dios por vuestra tradición?"* (Mateo 15:3 RVR 1960).

La intención de Dios es que vivamos una vida abundante. Nuestras vidas son un regalo de Dios, nacimos para manifestar su gloria, ya que somos su creación más increíble. Por lo tanto, elijo vivir mi vida al máximo. Si has hecho daño o has hecho cosas de las que no estás orgulloso, pídele perdón a Dios, pídeles perdón a los que les hiciste daño y perdónate a ti mismo.

Si las personas a las que les hiciste daño no están cerca, escribe una carta (incluso si no tienes una dirección a dónde enviarla), y envíala por correo, quémala, o haz algún ritual que represente un cierre para ti, pero debes perdonar. Es esencial para tu corazón, es beneficioso para ti; el perdón es un regalo, mereces ser feliz y vivir una vida sana.

Ahora, ve a vivir una vida plena. Haz lo que te hace feliz, haz el bien y vive según la voluntad de Dios (ver 1 Tesalonicenses 5:16-18).

El ladrón no viene más que a robar,
matar y destruir; yo he venido para que
tengan vida y la tengan en abundancia.
(Juan 10:10 NVI)

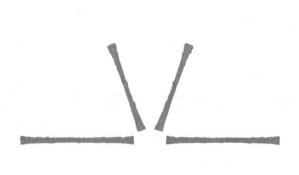

21 LA HIJA PERFECTA

¿Cuántas de ustedes intentaron o siguen intentando ser la hija perfecta? Yo lo hice, y cada cierto tiempo volvía a intentar ser la hijita perfecta para mi mamá y mi papá. Aunque no me impusieron esa carga intencionalmente, los padres suelen hacer sentir a los hijos que deben ser perfectos; pero nadie es perfecto. Solo somos perfectos a través de Jesús. Nuestro Padre Dios nos ve a través de Él.

Sin quererlo, yo también les impuse esas expectativas a mis hijos. Cuando me di cuenta, empecé a pedir perdón y comencé a rectificar. No me extraña que actuara como si Dios estuviera enojado conmigo. En algún momento de mi vida, debí empezar a creer que Dios era un Padre enojado.

Hay dos cosas diferentes que deben considerarse: uno es que sí, la Biblia habla de *el temor del Señor* (Proverbios 9:10 NVI), lo que implica que debemos temer a Dios, pero no en la forma en la que se usa el miedo, como en las películas de terror, sino más bien respetarlo. Yo lo llamo "el evangelio del miedo". Sin embargo, no se supone que llevemos nuestras almas a Cristo a través del miedo.

Estoy tan feliz de haber desarrollado esta sed de la verdad, Dios me hizo así. Tomé la Biblia, la estudié por mi cuenta y Dios apareció. Él es real en mi vida, tal como estoy escribiendo y compartiendo con ustedes el día de hoy. Yo hablo con Dios.

Ya nadie me miente sobre Dios o sobre lo que Él espera de mí. Por favor, despierten, mi hermosa gente. Ustedes también tienen este poder; lean la Biblia y pídanle a Dios que se revele ante ustedes. No confíes solo en los pastores, líderes u otras personas para que te expliquen a Dios. Conócelo por ti mismo, conoce a tu Padre. Él quiere tener una relación contigo. ¡Él te ama! En segundo lugar, sí, Dios es un Dios de amor y disciplina. Pero la forma en la que Dios disciplina es con amor. Él nos dio libre albedrío para hacer lo que quisiéramos y estar abiertos a tomar nuestras propias decisiones. Si eso no es amor, ¿qué es?

Y sí, Él es el ejemplo perfecto de cómo debemos criar a nuestros hijos. El Señor nos dijo sus mandamientos (ver Éxodo 20). Él espera que los sigamos. Si no lo hacemos, sufriremos las consecuencias. Pero ¿Dios se enfada con nosotros? Es Dios diciendo: te di unas guías específicas y unas reglas de vida que debes seguir; ¿qué has hecho? Servimos a un Dios íntegro que no se retracta de su Palabra. Él nos permite tomar nuestras decisiones, pero es justo que también seamos seres humanos responsables y que afrontemos nuestras propias consecuencias. Sí, ese es nuestro Dios. ¡Servimos a un Dios impresionante! Es interesante para mí cómo nos apresuramos a culparlo por todo, pero no seguimos su voluntad para nuestras vidas.

Porque el Señor el Altísimo es digno de ser temido [y adorado con reverencia y obediencia]; Rey grande es sobre toda la tierra (Salmos 47:2).

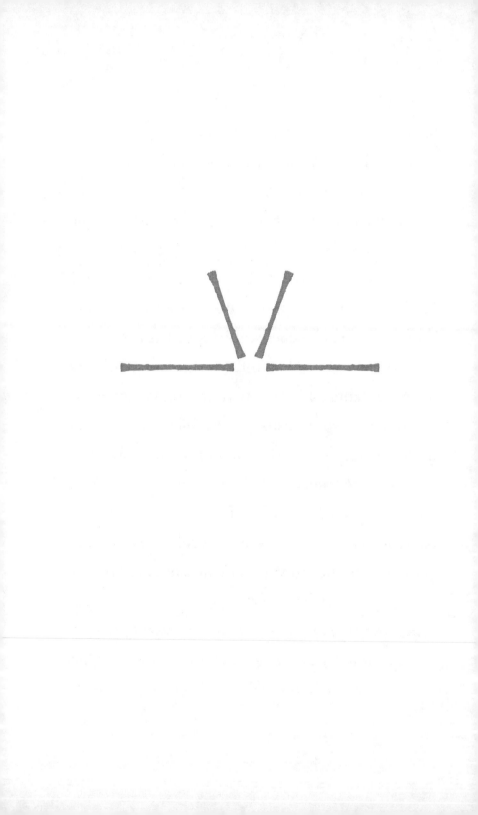

22 ¿CUÁL ES LA VOLUNTAD DE DIOS PARA TI?

Es posible que tú seas quien yo solía ser, la que se hacía esta misma pregunta, una de las mismas preguntas que todavía recibo de muchas mujeres: "¿Cuál es la voluntad de Dios para mi vida?". Mientras crecía, me sentía perdida: "¿Cuál es mi propósito? ¿Por qué estoy aquí?". Estaba buscando mi razón de ser. Me parecía irreal. "¿Esto es todo?". En el fondo, sabía que todos nacemos con un propósito. Le decía al Señor, "muéstrame, Dios Padre", y lo hizo.

La Palabra de Dios nos muestra que la confusión no es del Señor. A medida que me acercaba a Dios, las cosas se hacían más evidentes. Comenzó mi viaje de sanación y pude ver la luz, la luz que guía el camino hacia mi razón de ser en este mundo. Yo soy luz; y tú también lo eres, amigo mío. Dios quiere traer luz a un mundo muy oscuro. Él quiere llevar alegría a donde hay dolor y restaurar todo lo que se ha roto.

Si te sientes perdido y roto, ven a la luz y a tu camino hacia la restauración; su nombre es Jesús. Él murió por ti y por mí para que podamos ser salvados, y mientras tanto, encontrar nuestro propio camino en este viaje llamado vida.

Estén siempre alegres, oren sin cesar,
den gracias a Dios en toda situación,
porque esta es su voluntad
para ustedes en Cristo Jesús.

(1 Tesalonicenses 5:16-18 NVI)

Lo que más me gusta de este versículo bíblico de Tesalonicenses es que es sencillo. Estén alegres, oren y den gracias. Sin embargo, ¿cuántos de nosotros nos alegramos por todo, oramos continuamente y damos gracias por todo? No muchos y te lo puedo asegurar. Si supiéramos…

Y sabemos [con gran confianza]
que Dios [que está profundamente
preocupado por nosotros] hace que todas

las cosas trabajen juntas [como un plan]
para el bien de los que aman a Dios, de
los que son llamados de acuerdo con su
plan y propósito (Romanos 8:28).

...pensaríamos y nos comportaríamos de otra forma.

Recuerdo las veces en las que las cosas no salieron como pensaba. ¡Solía entrar en pánico! Ahora mi respuesta es: "Está bien, Señor. No sé lo que estás haciendo o de lo que me salvaste, o a donde me estás llevando, pero puedo estar segura de que tú estás en control; tú eres mi Padre y sabes lo que es mejor para mí. Tus planes para mí no buscan hacerme daño. Puedo estar segura de que lo verás todo y estarás a mi lado".

> *Honra las cosas que te hacen ser quien eres.*

¡Aleluya! ¡Sí! Él ha hecho todo esto por mí una y otra vez. Así es nuestro Padre, un Dios amoroso y atento, que se preocupa por lo que nos pasa.

¿Cómo lo sé? No siempre he estado alegre, he orado sin cesar o he dado gracias, pero sí solía quejarme. Por favor, entiende que quejarte te roba la felicidad y te impide ver las bendiciones que tienes delante de ti. Solía buscar la felicidad en los lugares equivocados. Era ingrata; pasaba mi tiempo quejándome de lo que no tenía, en lugar de estar agradecida por lo que tenía. Compré mi primera casa poco después de los 20 años y aun así encontré una razón para quejarme.

Cuando me acerqué a Dios y a su voluntad para mi vida, las cosas empezaron a encajar. Aunque lucho con la obediencia, oro sobre cualquier decisión que deba tomar. Permíteme darte un consejo: obedece a Dios. Él sabe lo que es mejor para ti y te ahorrará mucho dolor. Yo solía discutir con Dios en lugar de obedecerle. No puedo recalcarlo lo suficiente: Él sabe lo que es mejor para ti.

Años después, puedo apreciar cómo Dios puso

muchas cosas en mi vida que me llevaron a este momento. Obedecer a Dios es esencial si quieres encontrar paz y claridad en tu vida. Entonces, déjame preguntar: ¿De qué te quejas y por qué no obedeces a Dios?

Regocíjate siempre y deléitate en tu fe; sé incesante y perseverante en la oración; en toda situación [sin importar las circunstancias] sé agradecido y da gracias continuamente a Dios; porque esta es la voluntad de Dios para ustedes en Cristo Jesús.

(1 Tesalonicenses 5:16-18)

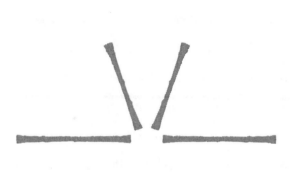

23 PERMANECER EN SU AMOR

Jesús es mi roca, mi fortaleza, en quien confío. Creo firmemente que si no fuera por el amor de Dios, no estaría escribiendo este libro. Estaba buscando una razón en todos los lugares equivocados. Solo sentí que estaba en casa cuando me entregué al Señor por completo.

Escribir mi historia es liberador en muchas maneras. Considero que escribir mi historia es una forma de sanación. Dar sentido a nuestras experiencias de vida nos hace estar completos otra vez. Todo lo que ha pasado en nuestra vida tiene una razón. A veces está bajo nuestro control y a veces no.

Te animo a que escribas tu historia. No tienes que publicarla, pero si lo haces, será otro elemento de sanación. Escribir nuestras historias nos ayuda a ver las cosas desde muchas perspectivas diferentes. Nos ayuda a reflexionar sobre nuestras experiencias más profundamente. Puedes conectar con tu ser más íntimo y evaluar tus áreas de fortaleza y las que necesitas mejorar.

Empezarás a ver cuándo has estado bien o mal y podrás validar tus propias experiencias y sentimientos como nunca. Había algunas cosas que quería compartir y otras que no. Por un momento pensé, "¿a quién le importa?", o "eso solo lo debo saber yo", y luego hubo otros momentos en los que sabía que me estaba conteniendo.

Nuestro viaje de sanación en la tierra puede ser continuo. Las experiencias diarias son momentos de crecimiento y aprendizaje. Como seres humanos, estamos en continua evolución y debemos evaluar nuestra actitud ante estas experiencias. Cuando siento que he superado un área de la vida, me doy cuenta de que aún queda mucho trabajo por hacer. Una de mis frases favoritas es "ten paciencia, Dios aún no ha terminado conmigo". De acuerdo con Su Palabra, esto ocurrirá cuando Él vuelva para arreglar todo.

El Señor es mi roca, mi amparo, mi libertador; es mi Dios, el peñasco en que me refugio. Es mi escudo, el poder que me salva, ¡mi más alto escondite!

(Salmos 18:2 NVI)

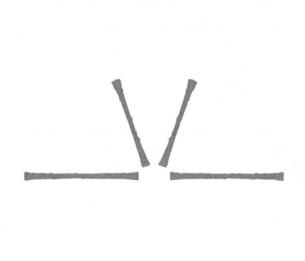

24 ENTERA, SANA Y COMPLETA

Repite después de mí: "Estoy entero, sano y completo". Me digo esto al menos una vez al día; es una de mis afirmaciones diarias. Estoy segura de que fastidio a mis hijas todo el tiempo, pero quiero que entiendan algo: **somos quienes decimos que somos.** Las palabras tienen poder; la Palabra de Dios lo dice, así que debe ser verdad. Hablar con uno mismo es el mejor tipo de terapia.

La primera experiencia positiva que tuve hablando conmigo misma fue cuando tenía 14 años. Tuve que aprender a decir: "Soy hermosa". Esto estaba muy lejos de lo que creía de mí, pero después de todo el abuso que sufría, crecí pensando que me veía como un "monstruo". Así como lo lees: un monstruo. Mi visión de mí estaba distorsionada. No me encantaba mirarme al espejo, y solía evitarlo. Recuerdo que pensaba: "¿Soy bonita?". En el fondo, quería ser amada. Ansiaba más atención.

Hacía todo lo que me pedían los demás porque quería ser aceptada y amada. Al fin y al cabo, eso era lo que había aprendido.

Cualquier rechazo era como una puñalada en mi corazón y no podía soportarlo. Al igual que hablar mal de uno mismo nos afecta, también lo hace hablar bien. Somos muy duros con nosotros mismos; reconocemos rápidamente los puntos fuertes de los demás y no los nuestros. *Sé amable contigo mismo, celebra quién eres, celebra tus logros y tus fracasos porque son lecciones que hay que aprender.* Nadie es perfecto en esta tierra y por ello no debemos esperar que nosotros mismos seamos perfectos.

A medida que me acerqué a Dios y a su Palabra, Dios me mostró que estoy entera y completa. Él dijo que soy más preciosa que las joyas (ver Proverbios 3:15). He aprendido que uno se cuida a sí mismo cuando se ama y se valora como lo hace Dios, por ejemplo, cuando eres más amable contigo mismo al comer mejor y hacer ejercicio. De la misma forma, también puedes hablarte más amablemente a ti mismo. Reemplaza cada conversación negativa con las promesas de Dios.

Nada es nuevo bajo el sol, señoras y señores. El Rey David le hablaba a su alma y le recordaba que debía bendecir al Señor (ver Salmos 103). El Espíritu Santo que fue depositado en nuestras vidas nos guiará; escucha su voz cuando te habla. ¿Cómo lo sabrás? Te preguntarás. Lo sabrás.

Todos tendremos momentos y días difíciles. No olvidemos que aún vivimos en un mudo pecaminoso; mantenernos esperanzados y en oración será un reto por las tensiones que vivimos en el día a día. Los cristianos no estamos exentos de estar tristes o de tener problemas. De hecho, somos el blanco perfecto del enemigo.

Es esencial recordarnos que debemos permanecer en oración y hablar con nosotros mismos. Somos nuestro peor crítico o nuestro animador número uno. Tienes que decidir verte y amarte como lo hace Dios. En mis peores días pienso en lo que

Jesús hizo por mí en la cruz. Más aún, pienso en lo que soportó durante esos tres años en la tierra. Fue rechazado, ridiculizado, intimidado, traicionado, torturado y crucificado. Nada de lo que yo pase hoy se comparará con lo que sufrió nuestro Señor.

Sin embargo, permaneció centrado en la hermosa misión que tenía entre manos, que era darnos la vida eterna. No solo para vivir felices para siempre cuando llegue el día, sino para vivir AHORA, con el poder y la autoridad que nos da su resurrección.

No estamos solos. Nos dejó el Espíritu Santo para ayudarnos. Ora por tu alma. Recuérdate a ti mismo lo amado y digno que eres. Recuérdate que hay esperanza y que tienes un futuro hermoso por delante. Debemos perseverar.

Él sabe lo que es mejor para ti.

No te rindas. Mantén el rumbo. Mira hacia arriba. ¡Anímate! Anima tu vida y sigue

ENTERA, SANA Y COMPLETA

adelante. ¡Yo sé que lo estoy haciendo! ¿Y tú?

Bendice, alma mía, a Jehová, y bendiga todo mi ser su santo nombre.

(Salmos 103:1 RVR 1960)

25 PREPÁRATE PARA LA BATALLA

Debemos levantarnos cada día preparados para la batalla.

En una ocasión, una joven me dijo: "Ahora que he decidido seguir a Jesús, todo va mal en mi vida. Tengo más problemas". Le respondí: "Claro que los tendrás". El enemigo no molesta con tanta fuerza a nadie que no sea hijo del Señor. Verás, él sabe que está derrotado y que sus días están contados. Él está tratando fervientemente de llevarse con él a tantas personas como pueda. Debemos levantarnos cada día listos para la batalla. Leí en alguna parte: "Sé el tipo de mujer que cuando te despiertas, el diablo dice: "Oh, oh, ya se levantó"".

La Palabra de Dios dice, ponte la armadura del Señor. Nuestra lucha no es contra la carne y la sangre; nuestra batalla es espiritual, por lo tanto, necesitamos una guerra espiritual (ver Efesios 6:11-18).

Levántate todos los días y decide que será un buen día, un día de fe y de victoria; ora y lee la Biblia incluso antes de levantarte de la cama. Usa las palabras de tu boca para animar y levantar a otros. Sé amable contigo mismo y con los demás. Reúnete con hermanos y hermanas; no estás solo. Dios ha puesto personas en tu vida para que oren por ti y te ayuden. El problema es que no confiamos ni creemos. No tengas miedo porque el Señor está con nosotros. El enemigo no puede estar en el mismo lugar que Dios. No permitas que te engañe. Cree en Dios; arriésgate y camina por fe, no por vista.

Todas esas lecciones las aprendí a través de la experiencia. No sabía cómo luchar contra las artimañas del enemigo, pero ahora sí. No voy a dejar que jueguen conmigo. Elijo pelear.

Vestíos de toda la armadura de Dios,
para que podáis estar firmes contra las
asechanzas del diablo.
(Efesios 6:11 RVR 1960)

26 TODO ES PARTE DEL PROCESO

Si eres como yo, quieres saber todo desde el comienzo. Si vas a hacer algo, quieres verlo todo de principio a fin. Quiero saber el quién, el qué, el cómo y el cuándo. Me di cuenta de que está bien no saberlo todo. Hoy en día no me esfuerzo por saberlo todo; el saber conlleva una responsabilidad. En vez de eso, quiero invertir mi energía en la sabiduría que necesito tener, y continuar aprendiendo a confiar en Dios y apoyarme en su conocimiento para darle sentido a mis experiencias. Dios es sabio.

Una de las cosas que hago cuando siento que algo "no va a funcionar" es volver a recordar las muchas veces que Dios me ayudó y las veces que superé situaciones que pensé que eran imposibles de superar. Te animo a que hagas lo mismo; especialmente cuando te sientas mal o triste, saca esas hermosas cartas que alguien escribió sobre ti. La gente puede llamarme loca, pero yo guardo las cartas que me regalan, especialmente las que dicen cómo hice sentir a alguien o lo animé de alguna forma. Guardo las cartas y las tarjetas que recibo de los alumnos agradeciéndome o compartiendo cómo se sintieron capacitados para alcanzar sus objetivos cuando alguien creyó en ellos. Debemos "alabarnos a nosotros mismos" como solía decir una de mis mentoras todo el tiempo: "Maribel, alábate".

En serio, debes ser tu animadora #1. Ya tienes bastante gente en el mundo que se opone a ti, y ni siquiera hablo del adversario, del enemigo; hablo de algunas personas que, por la razón que sea, no lograron sus sueños y ahora solo quieren aguarle la fiesta a alguien más. A veces esto es involuntario, pero otras veces es intencional. No puedo decirles cuántas veces compartí una visión y la gente me miró como si estuviera loca, en lugar de creerme o apoyarme. Por lo tanto, si eres padre o madre, te pido que animes y apoyes a tus hijos en sus sueños más locos. ¿Qué es lo peor que puede pasar?

¡La vida es para los soñadores! Solo me sentía

viva cuando soñaba. Si eligiera centrarme en las cosas que me rodean de este mundo imperfecto, me derrumbaría; la tristeza y la desesperanza se apoderarían de mí. Me niego a vivir así porque creo que el Señor nos creó para vivir en abundancia. Memoriza este versículo, escríbelo y colócalo en algún lugar de tu casa u oficina donde te veas obligado a verlo y a leerlo todos los días. Dios tiene un plan y solo busca tu bienestar.

Porque yo sé muy bien los planes que tengo para ustedes—afirma el Señor—, planes de bienestar y no de calamidad, a fin de darles un futuro y una esperanza (Jeremías 29:11 NVI).

27 PERSIGUE TUS SUEÑOS

¿Con qué sueñas? ¿Qué deseas? A menudo me preguntan cómo sigo persiguiendo mis sueños. Quiero vivir una vida plena. Cuando era más joven, decía que me retiraría a los 35 años. Mi ideología era que yo no iba a esperar para ser feliz y vivir una mejor vida. Voy a hacerlo ahora mientras soy joven. Y aunque eso pueda parecer descabellado, me hizo seguir adelante.

Debemos pedirle a Dios revelación. La Palabra dice que fuimos hechos para mucho más. Muchas personas están "estancadas". ¿Por qué? ¿Qué cosas debemos resolver para avanzar? Haz un inventario de tu vida. A veces los pensamientos sobre nuestros fracasos pasados nos frenan. No quiero vivir así, no es saludable. Si "fracasamos" en algo, hay que empezar de nuevo.

Cada vez que pensaba en empezar algo nuevo, enseguida pensaba: "Bueno, ¿quieres volver a intentarlo?". Y con la misma rapidez, pensaba: ¡Sí! Nunca sabes lo que puedes hacer hasta que lo intentas; quedarte atascado en lo que nunca pasó solo alimenta la negatividad y la improductividad. Intenta esto:

1. *Evalúa lo que sucedió antes.*

2. *Evalúa los "por qué" de querer ir de nuevo tras tus sueños y empieza de nuevo.*

3. *Una vez que tengas una visión clara de lo que quieres hacer, ve por ello y dalo todo.*

4. *No esperes que la gente comprenda tus metas y tus sueños. Si el Señor te lo ha revelado, es para que lo persigas.*

5. *Recuerda que somos parte del plan de Dios y que Él no te dejará fracasar.*

Él te ayudará a llevarlo a cabo. Haz las paces

con las situaciones del pasado, perdónate a ti mismo, y comienza de nuevo. Este juego se llama perseverancia. Mi lema es: ¡Nunca te rindas!

Pon en manos del Señor todas tus obras,

y tus proyectos se cumplirán.

(Proverbios 16:3 NVI)

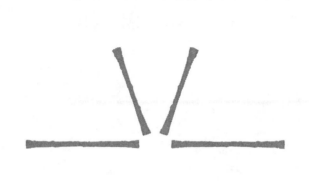

28 NO REGALES TU PODER

Aprendí esto de la manera más difícil. Durante muchos años me sentí impotente; no era capaz de defenderme de los seres malvados de mi vida, y no hablaba de lo que me pasaba. Me sentía impotente. Jesús dijo:

Sí, les he dado autoridad a ustedes para
pisotear serpientes y escorpiones y vencer
todo el poder del enemigo; nada les
podrá hacer daño (Lucas 10:19 NVI).

Jesús murió y resucitó para darnos poder y autoridad. Piensa en el regalo más grande, la vida eterna. He aprendido que tengo el dominio sobre las cosas de la tierra y que quedarán atadas también en el cielo (ver Génesis 1:26-28; Mateo 18:18). La Palabra de Dios es poder. Por favor, no la regales. Me gusta leer la Palabra de Dios y aplicarla de manera práctica. Para mí, el poder es la capacidad que tenemos de hacer algo. Dios dijo que tenemos poder, así que yo camino en poder (ver 2 Timoteo 1:7).

Decide hoy tomar el control de tu vida. Toma decisiones sabias. Decide lo que vas a permitir o no en tu vida. Tenemos el visto bueno de Dios para caminar con esta autoridad. No me gustan las palabras "no puedo" porque podemos hacer todo a través de Cristo. ***Podemos porque Él nos ha dado todo lo que necesitamos para tener éxito*** (ver Filipenses 4:13; 2 Pedro 1:3). La forma en la que activamos este poder es a través de decisiones sabias, pero cuando tengamos dudas, debemos buscar primero el reino de Dios (ver Mateo 6:33). Busca un mentor espiritual que te ayude a dar sentido a las cosas que son difíciles de entender. Lee la Palabra a diario, tu vida depende de ello.

¿Cuáles son algunos de las mentiras que creemos?

• No soy lo suficientemente bueno.

• No soy amado.

- No soy inteligente.

- No soy digno.

- No puedo hacer nada bien.

Esas fueron algunos de las mentiras que te inculcaron, pero no es necesario que permanezcan en ti. Si estás leyendo este libro es porque estás buscando y oyes la voz de Dios. Estás buscando y Él está respondiendo. Como seres humanos imperfectos, nos apresuramos en señalar que Él no está respondiendo a nuestras oraciones o que las cosas no están saliendo como queremos. Pero el simple hecho de haber agarrado este libro me dice que tú estás buscando y que Él te está respondiendo. Yo buscaba a Dios y pensaba que Él no estaba cerca, pero la verdad es que Él siempre está cerca.

Necesitamos caminar con la verdad en nuestras vidas, no caminar como si fuéramos almas derrotadas. Así es como el enemigo quiere que nos sintamos: derrotados. Estoy aquí para decirte que somos más que vencedores, nuevas criaturas. En el momento en que aceptaste a Cristo como tu Señor y Salvador, adoptaste una nueva forma de vida y de pensar.

*Por lo tanto, si alguno está en Cristo,
es una nueva creación. ¡Lo viejo ha
pasado, ha llegado ya lo nuevo!"*
(2 Corintios 5:17 NVI)

"No soy lo suficientemente bueno" es lo que el mundo te ha hecho creer en los momentos difíciles. Tal vez no creas que tuviste la mejor relación con tus padres, o que no tuviste una buena infancia. Nada de eso significa que no seas lo suficientemente bueno.

*Porque somos hechura de Dios, creados
en Cristo Jesús para buenas obras, las
cuales Dios dispuso de antemano a fin
de que las pongamos en práctica.*
(Efesios 2:10 NVI)

Recuerda que Él te conocía incluso antes de que

nacieras. Ten fe en Dios porque Él sabe lo que está haciendo. Él creó tu hermosa alma.

Una famosa mentira que el enemigo quiere que creamos es que no somos amados, queridos, aceptados o apreciados. Esa es la mayor mentira, sin embargo, somos tan amados que Dios *"...dio a su Hijo unigénito, para que todo el que cree en él no se pierda, sino que tenga una vida eterna"* (Juan 3:16 NVI). ¿Por qué nuestro creador daría a su único hijo por nosotros si no nos amara? ¿Por qué tenemos redención?

> **Tienes que decidir verte y amarte como lo hace Dios.**

El problema es que hemos comprado el "amor" que la sociedad y las relaciones románticas nos han enseñado.

El enemigo no se preocupa por eso específicamente. A él le importa el amor de Dios y el amor propio. Es decir, si logra hacerte creer que no eres amado, entonces ganó. ¿Cómo así? Piénsalo, Dios es amor y nosotros estamos hechos a su imagen. Si el enemigo destruye la forma en la que te ves a ti mismo, entonces tuvo éxito en que no ames a Dios o en impedir que vivas una vida piadosa y victoriosa. Tu imagen estará distorsionada, y eso afectará tu confianza en Dios. Él sabe que sus días están contados; está haciendo todo lo posible para derribar a tantas personas como pueda.

Hermanos y hermanas, esto es serio. El evangelio de Jesús trata sobre el amor porque el amor es salvación. No dejen que el enemigo los engañe; recuperen el poder.

"No soy lo suficientemente inteligente", esta es una mentira con la que todavía lucho. Cada vez que me embarco en un nuevo proyecto académico o en algún examen, lucho contra esta mentira. ¿Mencioné que soy profesora? Profesora o no, esto es algo contra lo que he luchado durante toda mi vida. También es algo que he compartido con mis estudiantes frecuentemente: "No tienes que ser

NO REGALES TU PODER

inteligente para estar en la universidad. Tienes que ser lo suficientemente inteligente para saber qué es lo mejor para ti".

El aprendizaje de la vida es el mejor. *Si tienes un espíritu de querer aprender y crecer siempre, ¡eso no tiene precio!* No necesitas saberlo todo; solo necesitas tener el deseo y la determinación de lograrlo. No dejes que el enemigo te manipule para que pienses que no eres lo suficientemente inteligente porque esto te agotará y te alejará de las mejores cosas de la vida. Te rendirás incluso antes de empezar. Toma el control. Tienes la mente del Señor (ver 1 Corintios 2:16).

"No soy digno". Los sentimientos de indignidad fueron sentimientos con los que luché durante la mayor parte de mi vida. Una persona que conoce su valor es poderosa. Los sentimientos de indignidad nos hacen sentir insuficientes y nos hacen pensar que no tenemos valor y que no merecemos amor. Afectan nuestra autoestima y nos hacen sentirnos impotentes.

Estoy aquí para decirte que esto es mentira. Somos tan valiosos para Dios que nos ha adoptado en su familia de la realeza, una generación escogida (ver 1 Pedro 2:9). ¡Somos coherederos con Cristo Jesús! Somos cabeza y no cola (ver Deuteronomio 28:13).

"No puedo hacer nada bien" es otra mentira. El Señor dice que no hay nada que no podamos hacer, especialmente si está alineado con Su voluntad para nuestras vidas (ver Filipenses 4:13 y Romanos 8:28). Él tiene la última palabra, y nosotros, los hijos del Señor, buscamos orientación, pedimos sabiduría y esperamos pacientemente mientras confiamos en que estamos en las manos de Dios. *"...el que comenzó tan buena obra en ustedes la irá perfeccionando hasta el día de Cristo Jesús"* (Filipenses 1:6 NVI).

Eso es una mentira también porque, aunque pensemos que no somos capaces, Dios es capaz, y el Dios al que servimos es capaz de *"hacer que abunde en vosotros toda gracia, a fin de que, teniendo siempre en todas las cosas todo lo suficiente, abundéis para toda buena obra"* (2 Corintios 9:8 RVR 1960).

Como ves, no hacemos nada solos. Nuestro Padre Celestial nos lo prometió, y Él no nos abandonará. Y recuerden, Él no es un hombre que puede mentir. Él es nuestro Dios el Todopoderoso, el Dios poderoso omnipotente. Si estamos con Él, ¿quién está contra nosotros? Todo lo que he hecho y todo lo que soy es gracias a Dios. No hice nada sola. No soy nada sin Dios. Sé que puedo fallar en mis fuerzas, pero sé que con Dios nunca fallaré. Cuando pienses: "No soy capaz", recuerda siempre que no estás solo y que eres más que capaz.

Y a aquel que es poderoso para [llevar a cabo Su propósito y] hacer todo mucho más abundantemente de lo que pedimos o entendemos [infinitamente más allá de nuestras más grandes oraciones, esperanzas o sueños], según Su poder que obra en nosotros (Efesios 3:20).

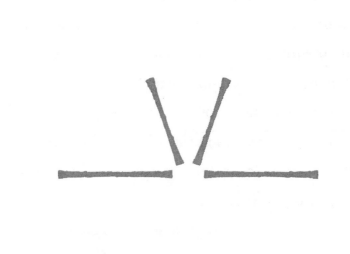

29 ¡DIOS NO ESTÁ ENOJADO CONTIGO!

Cada vez que hacía algo malo o desobedecía a Dios pensaba que Dios estaba enojado conmigo. Sentía que yo tenía la culpa de lo que me sucedía y, cuando me pasaba, me culpaba a mí misma por no hablar de eso ni mencionárselo a nadie. Me castigaba dejando de ir a la iglesia. De alguna forma, sabía que ir a la iglesia era algo bueno. Esa era una de las formas en las que me torturaba. Sabía que le pertenecía a Dios y que no podía escapar de lo que Dios me tenía reservado. Pensaba que Dios estaba enojado conmigo porque no quería perdonar a los que me habían hecho daño. Solía pensar que no era justo, y que por qué debía ser yo quien los perdonara cuando eran ellos los que debían pedirme perdón.

Pensaba que Dios estaba enojado conmigo porque no quería someterme al estudio de la Palabra ni orar durante horas o ser amable con las personas de la iglesia que no eran tan amables conmigo. Los cristianos también les hacen daño a otras personas. A veces este es el peor tipo de dolor porque no están reflejando a Cristo, pero aun así son perdonados. Debido a mi condición pecaminosa, pensaba que Dios estaba enojado conmigo. Me culpaba a mí misma por todo lo malo que me habían hecho. Me perdí el mensaje completo. No dejes que esto te ocurra, ¡Dios te ama tal como eres! Él es nuestro redentor; quiere sanar nuestros corazones y nuestras almas.

Cree en Dios; arriésgate y camina por fe, no por vista.

El diablo quiere que sintamos culpa, vergüenza y duda porque está derrotado. Quiere que nos sintamos impotentes porque entonces, Dios no es glorificado. Todo el mensaje se trata de que no somos perfectos. Por lo tanto, es bueno para nuestras almas buscar al Señor, nuestro Creador, el que sabe cómo arreglarnos y redimirnos. ¡Aleluya! ¡AMO a nuestro DIOS! Él ya sabe que no hay nada que debas decir o hacer para ganarte su amor. ¡Listo! *Eres amado; fuiste comprado por Su preciosa sangre para Su gloria.*

Piensa que cuando creas algo, estás tan orgulloso que quieres mostrarlo. Bueno, Dios quiere mostrarte. "Mira mi creación, no son perfectos, pero son míos y los amo con amor eterno. Si tan solo lo supieran". Casi puedo oír a Dios decir esto, pero también puedo sentir que llora por sus hijos y se pregunta: "¿Qué están pensando? ¿Qué están haciendo? ¿Por qué no creen en mí? ¿Cómo puedo llegar a ellos y decirles cuánto los amo y quiero que se salven?".

No te confundas. Él nos corregirá cuando necesitemos ser corregidos, pero Él nos ama y lo hará con amor. ¿Cuántas veces he utilizado el amor en esta sección? Muchas, y lo hice de manera intencional. Alguien que está leyendo esto necesita

saber lo siguiente: ¡Eres amado! Ese es el mejor
mensaje que puedes recibir. No vivas más en la
esclavitud; Dios sufre porque tú sufres. Jesús murió
para liberarnos de todo el pecado de este mundo.

Clemente y compasivo es el SEÑOR,
lento para la ira y grande en
Misericordia (Salmos 145:8).

30 LIMPIEZA DE PRIMAVERA, LECCIONES APRENDIDAS

Las lecciones que he aprendido son demasiadas para contarlas; pero quiero compartir algunas de ellas. Una de las lecciones más importantes que he aprendido es que nada es lo que parece y nunca debemos asumir nada. No hay que juzgar el libro por su portada porque casi siempre es engañosa. Mi padre solía decirme: "Maribel, prueba las cosas por ti misma, todo el mundo es diferente y tus gustos y disgustos son diferentes a los de los demás".

La gente siempre se apresura a darte su opinión sobre las cosas, y está bien escucharlos, pero **aprende a tomar tus propias decisiones.** Es sabio buscar consejos; son dos cosas diferentes. Las creencias suelen venir con prejuicios personales y nociones preconcebidas. La sabiduría suele venir de alguien que ha tenido alguna experiencia, puede ser considerado un experto en el tema, y no pierde ni gana nada por compartirla. Cuando necesites la sabiduría de alguien, investiga y asegúrate de que es la persona adecuada para hablar de la situación específica sobre la que estás preguntando.

A menudo compartimos cosas con la gente sin tener en cuenta su experiencia o conocimientos. Compartimos sin procesar completamente, "¿esta es la persona adecuada para compartir esto?". A veces decimos cosas a la persona equivocada y nos llevan en la dirección equivocada. He aprendido que la gente habla por sus propias circunstancias.

El que es bueno, de la bondad que atesora en el corazón produce el bien; pero el que es malo, de su maldad produce el mal, porque de lo que abunda en el corazón habla la boca (Lucas 6:45 NVI).

Por lo tanto, quizás ellos sientan que los que les pasó a ellos te pasará a ti. Si les hicieron daño, hablarán desde el dolor si no han sanado. Antes de comunicarte con alguien o pedir consejo, busca a

Dios porque Él no te llevará por el mal camino, Él responderá a tu oración y pondrá a las personas adecuadas en tu vida para guiarte en el proceso. Pídele que te revele esas personas.

Otra lección importante es: *perdona para ser perdonado.* Una de las cosas que nos detiene es la falta de perdón. Durante mucho tiempo, sentí que había perdonado a todos los que me habían herido. Me equivoqué. Cada vez que me hacía un examen de conciencia, me daba cuenta de que había una persona o una situación más que perdonar.

¡La vida es para los soñadores!

Al igual que cuando haces la limpieza de primavera cada año, debes hacer lo mismo con tu corazón. Elimina todo lo que es dañino y desagradable para Dios. Sé honesto contigo mismo; escribe las cosas que te están afectando de manera negativa. Esto puede incluir relaciones, comidas que estás consumiendo o cosas que estás viendo o escuchando. Los seres humanos son sensibles; las cosas nos afectan más de lo que pensamos.

Camina por tu casa y elimina todo lo que entorpece tu vida. Piensa en las cosas que te hacen sentir triste, frustrado o enfadado. Mi casa es mi refugio. Cuando miro las habitaciones de mi casa, me encanta lo que veo y me dan alegría. Si hay algo en mi casa que no me da alegría lo cambio. ¿Por qué mantener en tu casa algo que no te da alegría?

Si "fracasamos" en algo, hay que empezar de nuevo.

Tengo una zona de la casa donde guardo los juguetes de mis nietos. Para algunos, esto puede ser un desorden, pero a mí me hace feliz cuando los veo porque me imagino sus caritas emocionadas por sus juguetes. Mi nieto mayor dice: *"Eela, me quieres* mucho. *Este es mi espacio".* Cuando ve este lugar, sabe que es suyo y que es querido.

No te apegues a las cosas materiales de esta tierra. Aprecia y atesora lo más importante. Solo estamos de paso. Este no es nuestro hogar (ver Hebreos 13:14).

Toda la Escritura es inspirada por Dios, y útil para enseñar, para redargüir, para corregir, para instruir en justicia, a fin de que el hombre de Dios sea perfecto, enteramente preparado para toda buena obra.

(2 Timoteo 3:16-17 RVR 1960)

31 VIVE LA VIDA QUE DIOS QUIERE QUE VIVAS

Espero que cuando leas este libro, te sientas inspirado a vivir la vida que Dios quiso que vivieras. Espero que encuentres en tu corazón la posibilidad de perdonarte a ti mismo y dejes de castigarte por cualquier situación que haya llegado a tu vida. Estás perdonado. A menudo caminamos en la vergüenza porque pensamos que hicimos algo mal y siempre nos culpamos por eso. Además, creemos que Dios está haciendo una lista de esas cosas. Él no es San Nicolás. La Palabra dice:

...Él sepultará nuestras
iniquidades, y echará en lo
profundo del mar todos
nuestros pecados.
(Miqueas 7:19 RVR 1960)

Gracias a Dios, ¡Aleluya! El señor conoce todos mis pecados:

Por cuanto todos pecaron,
y están destituidos de la
gloria de Dios.

(Romanos 3:23 RVR 1960)

Espero que, si no conoces a Dios, al leer este libro te encuentres con tu Padre Celestial y aceptes a Cristo como tu Señor y salvador. Pero si lo conoces y te has alejado de Él, espero que te vuelvas a enamorar de Dios y le des otra oportunidad. Su palabra dice:

Si permanecen en mí y mis
palabras permanecen en
ustedes, pidan lo que quieran
y se le concederá.

(Juan 15:7 NVI)

Dios te ama tanto que quiere restaurar tu vida. No importa lo que pasó en el pasado; lo que importa es la decisión que tomes de aquí en adelante. Elige continuar viviendo la mejor vida que hay para ti y honrándolo a Él en todo lo que hagas. ¿Cómo podrías empezar a honrarte a ti mismo hoy?

No tengas secretos, los secretos tienen poder. Cuando mantienes las cosas en secreto, duelen, y a veces más de lo que crees. Los secretos a los que me refiero son los que te traen vergüenza, culpa y duda. Los secretos vergonzosos suelen llegar a ti con y sin tu consentimiento.

Muchas familias tienen secretos, y si no te has dado cuenta, estos secretos destruyen familias. No permitas que esto pase en tu vida. El diablo quiere destruir a las familias porque de esta manera destruye una sociedad de esperanza. Asegúrate de programar una reunión familiar y hacer un chequeo de salud familiar. No dejes abierta ninguna puerta ni ventana. El enemigo hará lo que quiera si lo dejamos. La Palabra dice:

Así que sométanse a Dios.
Resistan al diablo, y él
huirá de ustedes.

(Santiago 4:7 NVI)

Resistan el mal y hagan lo correcto. Por ejemplo, si alguien te hace daño, perdona rápidamente. No dejes espacio para que el enemigo te atormente. El diablo desprecia el amor y la unidad porque Dios es amor y unidad. Donde hay amor, está Dios. Al enemigo no le gusta esto.

Retomen el control, recuerden que Dios dijo que tenemos "el poder del dominio propio". Recupérenlo, quítenselo al enemigo y restauren sus vidas. Esa es la autoridad de la que habla Jesús. No caminen como si estuvieran derrotados porque no estamos derrotados.

Hubo momentos en mi vida en los que hice grandes avances y luego otros en los que me quedé estancada. Cuando estaba buscando respuestas y no progresaba, le preguntaba a Dios: "¿Qué estoy haciendo mal, Señor? ¿Por qué no avanzo?".

El Señor me dejaba claro que estaba atascada porque no había perdonado. Yo decía: "Señor, yo lo perdoné y a todas las personas que me hicieron daño", y Él me mostraba que no lo había hecho. Para algunas personas, perdonar es algo muy difícil. Sin embargo, la recompensa es muy grande. Antes de que te des cuenta y estés atascado sin saber por qué, mira dentro de tu alma y tus acciones. Ellas te mostrarán si has perdonado a los que te hicieron daño.

Me di cuenta de que había perdonado a mis padres, porque soy capaz de tener una relación con ellos sin animosidad. Sé que perdoné a mi tío porque no guardo rencor hacia él. Yo

Dios no está enojado contigo, ¡Él te ama!

espero y oro porque se haya salvado. No tuve la oportunidad de decirle que lo perdonaba porque nunca más lo volví a ver. Creemos que falleció, que desarrolló una enfermedad mortal y no duró, pero nadie lo sabe con seguridad.

Cuando me enteré de cómo había sido su infancia y su crianza, mi corazón se llenó de tristeza. Supongo que nadie le predicó el evangelio o quizás lo rechazó. No lo sé porque nunca tuve esta discusión con él y me gustaría haberla tenido.

Los cristianos podemos ayudar a muchas personas si hacemos nuestra parte. Me solía preguntar si alguien alguna vez le predicó el evangelio a mi tío. Durante mucho tiempo, él creció solo en las calles. Si no hubiera sido por mi madre que lo acogió, ¿a dónde habría parado? Mi madre tiene un corazón muy grande. Los que la conocen saben que se quitaría la ropa que tiene puesta para dársela a alguien que la necesite.

Elimina todo lo que es dañino y desagradable para Dios.

Mi tío tuvo un hogar y comida por mi mamá. Ojalá hubiera tenido la oportunidad de mirarlo a los ojos y decirle que lo perdonaba. Ojalá hubiéramos tenido la oportunidad de restaurar nuestras vidas como tío y sobrina. Si pudiera decirle algo sería: "Te quiero y te perdono. Lamento mucho lo que te hicieron los otros". Sé que estaba sufriendo porque, como dice

Joyce Meyer: "La gente que está sufriendo le hace daño a los demás". Esto es cierto.

Tú, la persona que está leyendo esto, debes saber que si no perdonas seguirás sufriendo y que el dolor te seguirá. Se sabe que le harás daño a los que te rodean porque fuiste herido. Las personas a tu alrededor pagarán sin tener la culpa por lo que otros te hicieron.

Reflexiona profundamente sobre el tema y sé fiel a ti mismo. Reflexiona sobre tus acciones y elimina todo lo que no sea agradable para Dios. Una vez que reflexiones sobre tus acciones, pregúntate, "¿A quién me falta perdonar? ¿Por qué actúo así con esa persona? ¿Por qué no me gusta esa persona? ¿Desencadena algo en mí? ¿Me recuerda a alguien que me hizo daño?". Explora, ¿estás molesto? La rabia es un síntoma del dolor.

En el capítulo siguiente verás la carta de perdón que me escribí a mí misma, y tal vez pueda ayudarte a que comiences la tuya.

32 TE PERDONO. CARTA A MARIBEL

Mari, ya es hora de dejar de lado la culpa, la vergüenza y el dolor que aún tienes dentro de ti. Lo que hizo tu tío no es tu culpa; tú no hiciste nada malo. Tú eras solo una niña pequeña que tenía mucho miedo y estaba aterrorizada. Durante años has sentido culpa, vergüenza y sentimientos de indignidad por algo que no hiciste.

Mari, te perdono por no haber dicho nada. Te perdono porque no sabías qué hacer ni a donde ir. Te sentías sola.

Te perdono por hacerte daño y por intentar acabar con tu preciosa vida, una vida que te fue dada para que la vivieras en abundancia. Fuiste creada con un propósito, no fuiste un accidente.

Mari, te perdono por no proteger a tus hermanas. Lo intentaste. Eras solo una niña pequeña. No merecías ese dolor. Él te hizo eso, él te lo inculcó, te mintió, te manipuló y te asustó. Abusó de ti.

Hermosa Mari, te perdono por ser tan dura contigo misma y por establecer metas inalcanzables y expectativas que estaban completamente fuera de tu control.

Mari, te perdono por no proteger a tus hijos del mal de este mundo. Hiciste lo mejor que pudiste en la medida de tus posibilidades.

Maribel, el Señor Jesús te ama y murió por tus pecados. "... *no hay condenación para los que están en Cristo Jesús...*" (Romanos 8:1 RVR 1960). La vergüenza y la culpa no te pertenecen; murieron en la cruz cuando nació el amor.

Maribel, te perdono y te amo más de lo que puedo decir en palabras. No permitas que el enemigo te acose con mentiras; las mentiras están destinadas a destruirte porque tú le perteneces a Dios. Eres hermosa, fuerte, increíble y hecha a la imagen y semejanza de Dios.

El Señor, tu Dios, te ha dado un espíritu de poder, amor y dominio propio (ver 2 Timoteo 1:7). Él te ha equipado para enfrentar directamente todos los obstáculos que se presenten en tu camino. Estás preparada y llena del Espíritu Santo para conquistarlo todo.

Todo lo puedo en Cristo que me fortalece (Filipenses 4:13 RVR 1960).

Ámate, yo lo hago y estoy muy orgullosa de ti. Sé libre.

– *Maribel*

Ahora voy a pedirte que escribas lo que quizás será una de las cartas más desafiantes que jamás escribirás y que te embarques en un viaje de amor, libertad y liberación. Te pido que coloques tu nombre en el espacio en blanco y digas: _____, te perdono. Comienza hoy a perdonarte. Dios ya lo hizo, Él no está molesto contigo. En realidad, Él te ama.

Quizás esto te lleve a un lugar de tu memoria al que no quieres ir. Pero si quieres sanar, si quieres que el dolor se detenga, es un paso que DEBES dar hacia tu viaje de amor y libertad.

No estás solo…

Cuando pases por las aguas, yo estaré contigo; y si por los ríos, no te anegarán. Cuando pases por el fuego, no te quemarás, ni la llama arderá en ti.

(Isaías 43:2 RVR 1960)

33 ¡DIOS TE AMA! ¡Y YO TAMBIÉN!

¡Sí! Tan simple como eso. ¡Dios te ama y yo también! ¡Lo grito lo más alto que pueda! Hoy, estoy orgullosa de la mujer que soy. Si me comparas con la persona que era hace veinte años, no me reconocerías. Solía preguntarle a Dios: *"¿Cómo puedes amar a la gente que hace daño? ¿Por qué quieres que la ame? No me gusta ella". Le pedía a Dios: "Por favor, dame el amor que Él tiene para todos".*

Hay una canción en español titulada "Te pido la paz", que se canta en las iglesias. El comienzo de la canción dice: "Ayúdame a mirar con tus ojos, ayúdame a sentir con el corazón", y luego dice: "No quiero vivir más siendo insensible. Hay tanta necesidad, oh, Jesucristo". Luego continúa pidiendo la paz. No tienes idea de cómo cantaba yo esta canción. Como mi yo molesto, miraba a la gente en la iglesia porque sabía que hablarían de mí. Cantaba: *"Ayúdame a ver con tus ojos y a sentir con el corazón"* porque en este momento, Padre, no quiero mirarla o amarlo. Pero seguí adelante y me recordé a mí misma que no debía cansarme de hacer el bien. La Palabra dice:

No nos cansemos de hacer el bien,
porque a su debido tiempo cosecharemos
si no nos damos por vencidos.

(Gálatas 6:9 NVI)

Aunque a veces sea un reto, es esencial demostrar el amor a aquellos que pueden parecer difíciles de amar. Esto no lo digo yo; esto lo dice mi Padre Celestial, que ha derramado gracia en mi vida y la ha llenado de amor. No me gustan muchas cosas que hacen muchas personas, pero puedo decir honestamente que las amo con el amor de Cristo. Puede que no esté de acuerdo con algunas de sus acciones, pero sé que, si Dios no se rinde con ellos, yo tampoco debería hacerlo.

La Palabra de Dios es directa. Si juzgas, serás juzgado. Con la misma medida que midas, serás medido. Despiértense, Dios es real y es un Dios justo. De Él nadie se burla.

No se engañen: de Dios nadie se burla. Cada uno cosecha lo que siembra.

(Gálatas 6:7 NVI)

El Señor, nuestro Dios, nuestro Padre Celestial te ama siempre y te está llamando para que vuelvas. Te pide que vuelvas a casa. ¿Qué tan hermoso es eso? Piénsalo, si eres un padre o una madre que está leyendo este libro

No caminen como si estuvieran derrotados porque no estamos derrotados.

hoy, esto es para ti. Dios te ama, y tú especialmente conoces el amor de un padre y la angustia que siente un padre cuando su hijo se ha perdido o se ha ido hacia un camino de destrucción. Harías cualquier cosa para salvar a tu hijo y tenerlo de vuelta en casa.

Para cualquier persona que esté sufriendo o

sienta que ha defraudado a Dios, Dios no está molesto contigo. Dios está sufriendo por ti y también está sufriendo por la tierra. Él quiere que nos alejemos de los malos caminos y que vayamos a casa. A mí me llevó mucho tiempo darme cuenta de cuánto me ama Dios.

Estoy aquí para decirte que Él me ha confiado esta misión; Él sabe por lo que estás pasando. Él es el único que sabe lo que hay en nuestros corazones. Él sabe que queremos hacer el bien y que en el fondo queremos vivir una vida digna en la que podamos agradecer el don de la salvación. Si has estado luchando por aceptar el amor de Cristo, déjame ayudarte.

Nada es lo que parece y nunca debemos asumir nada.

Ve a un lugar tranquilo y háblale a Dios desde tu corazón, tal como eres. Él está esperando en la puerta; está esperando por ti y ha estado allí todo el tiempo. Somos nosotros los que nos separamos del amor de Dios, no Él. Él quiere restaurar tu vida. Él quiere que tú vivas una vida abundante, tal como Él la quiso para todos. El Señor quiere que vivas una vida con un propósito y amor. Recuerda, Él te hizo a Su imagen y te ha equipado para seguir adelante hasta el día en el que Él regrese a la tierra.

Dios no está enojado contigo, *¡Él te ama!*

Una forma en la que el SEÑOR me ha sanado a través de Su Palabra, donde encontré amor y redención al meditar en Su Palabra, fue escribiendo las escrituras y estudiando lo que el Señor me decía. Escribir un diario es sanador. Si la escritura no es tu fuerte, entonces escribe un diario con fotos, dibujos o música.

Hay diferentes maneras de dar sentido a lo que experimentamos en nuestras vidas. Lo importante es pedirle a Dios que nos guíe en el proceso. Él quiere tener una relación contigo y traerte paz. ¡Él cambiará tu vida!

Las siguientes preguntas de reflexión te ayudarán en tu viaje de sanación.

Dichoso el hombre que no sigue el consejo de los malvados, ni se detiene en la senda de los pecadores ni cultiva la amistad de los blasfemos, sino que en la ley del Señor se deleita y día y noche medita en ella. Es como el árbol plantado a la orilla de un río que, cuando llega su tiempo, da fruto y sus hojas jamás se marchitan. ¡Todo cuanto hace prospera! (Salmos 1:1-3 NVI)

Reflexiones

1   ¿Alguna vez te has preguntado si Dios existe?

¿De qué necesitas sanar?   2

3   ¿Qué cosas necesitas hacer para derribar las mentiras traídas a tu vida?

4   ¿Contra cuáles acosadores luchas a diario?

¿Qué área de tu vida necesita la intervención de Dios?   5

¿Por qué estás agradecido?   6

¿Qué esperas?   7

8 Eres quien Dios dice que eres. Di estas afirmaciones diariamente y no te detengas hasta que las creas. Reflexiona sobre estas afirmaciones. ¿Qué otras afirmaciones adoptarías?

- Soy amado.
- Fui perdonado.
- Soy digno.
- Fui elegido.
- Fui redimido.
- Fui hecho para la grandeza.
- Soy real sacerdocio.
- Me hicieron de forma hermosa y maravillosa.
- Le pertenezco a Dios.

9 Dedícale un momento a escribir las formas en las que Dios te ha salvado.

10 Escribe las formas en las que Dios te bendice.

11 ¿Quién te inspira? ¿Por qué?

¿Qué le estás pidiendo a Dios? 12

¿Has luchado alguna vez con problemas de identidad? ¿Cómo los resolviste? 13

14 ¿Por qué es tan difícil para ti confiar en Dios?

15 ¿Cuáles son tus creencias sobre Dios?

¿Quién o qué está robando tu alegría? 16

17 ¿De quién te sientes responsable? ¿Por qué? ¿A quién tienes que perdonar o pedir perdón?

18 ¿Puedes pensar en un momento de tu vida en el que Dios se apareció? Profundicemos...

Enfócate, es hora de priorizar. Haz una lista de las cosas que pueden estar alejándote de Dios y pongamos todo en su lugar. **19**

20 ¡Celebra tu vida! Haz una lista de las cosas de las que estás orgulloso.

21 Lee el Salmo 47:2. ¿Qué te está diciendo Dios?

¿Cuál es la voluntad de Dios para tu vida? ver (1 Tesalonicenses 5:16-18) **22**

¿Qué exigencias se te han impuesto?

23

24

Repite después de mí: "Estoy entera, sana y completa". Ahora, créelo.

La batalla; ¿qué debes hacer para prepararte para la batalla? ver (Efesios 6: 10-18)

25

26

¿En qué crees? ¿Qué batallas estás librando?

27

¿Cuáles eran tus sueños cuando crecías? ¿Los cumpliste? ¿Qué te detuvo?

¿Qué cosas negativas que dices sobre ti mismo debes reemplazar con las promesas de Dios?

28

29 Medita y memorízate este versículo: *Porque yo sé muy bien los planes que tengo para ustedes—afirma el SEÑOR—, planes de bienestar y no de calamidad, a fin de darles un futuro y una esperanza* (Jeremías 29:1 NVI).

30 ¿Qué lecciones has aprendido en tu vida?

¿A quién necesitas perdonar? ¿A ti mismo? **31**

32 Escribe tu carta de perdón hacia ti mismo. Te desanimarán muchas razones y excusas para no escribir esa carta, pero quiero animarte a que seas valiente y la escribas. Cuando la termines, léela en voz alta tantas veces como necesites. Jesús murió por ti y por mí; Dios nos perdonó. Ahora nos toca a nosotros perdonar.

33 ¡Dios te ama! ¿Crees? Reflexiona sobre las muchas maneras en las que ves el amor de Dios reflejado en tu vida.

207

Acerca de la autora

La *Dra. Maribel López* es una oradora, escritora, profesora y Ministra Ordenada que nació en la hermosa isla de Puerto Rico. Es esposa, madre y abuela orgullosa, ¡amante de Jesús y de la vida! Su propósito es empoderar y ayudar a las personas a sanar de las mentiras plagadas e impuestas por el abuso sexual y la violación de menores. Ella desea que las personas se liberen de la vergüenza, la culpa, la condena y la autodestrucción, ya que estos fueron los desafíos que ella tuvo que superar.

La Dra. López enseña, predica y sirve como ministro a nivel local e internacional. Junto a su esposo fundó *Restored Ministries* en Illinois y la *Dr. Maribel López Scolarship Foundation*. Su deseo es ver vidas restauradas a través del poder del amor, el estudio de la Palabra y las enseñanzas bíblicas.

God's **not** mad at you

In fact,
He loves you

Dr. Marisel López

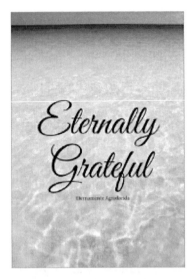

Eternally
Grateful

Eternamente Agradecida

dr.lopez
QUOTE OF THE WEEK

Dr. Lopez
Scholarship Foundation

Journal

Otras publicaciones:

God's Not Mad at You: In fact, He Loves You! (versión en inglés de este libro)

Eternally Grateful-Eternamente Agradecida en inglés y español, creado con el objetivo de ayudar a las mujeres a encontrar la sanación a través del arte de llevar un diario de la Palabra de Dios. Maribel encontró la sanación escribiendo en su diario la Palabra de Dios, así como sus pensamientos y sentimientos internos. Ella tiene la esperanza de que, como ella, encuentres la sanación con la ayuda de este Diario. puedas encontrar la sanación como lo hizo ella.

Dr. López Quotes (La cita semanal de la Dra. López) (español e inglés) es un libro inspirado por estudiantes y es para estudiantes de todas las edades. Los ingresos procedentes de las ventas de este libro ayudan a los estudiantes a alcanzar sus objetivos académicos a través de *Dr. Maribel López Scolarship Foundation* (Fundación de becas de la Dra. Maribel López).

Dr. López Scolarship Foundation Journal – Este Diario de 100 páginas fue creado específicamente para Dr. Lopez Scholarship Foundation por Rose Gold Publishing, LLC.

*Puedes adquirir ambas publicaciones en **amazon.com***

Para más información visita:
dloscholarshipfoundation.com

¡Gracias por interesarte en mi ministerio y en mi vida! ¡Dios te bendiga hoy y siempre! Hagamos una diferencia en la vida de las personas que se sienten desesperadas e impotentes.

Acompáñame en mi misión de llevar esperanza y ánimo a las vidas a través de la obra de Dios ahora, aquí en la tierra.

Eternamente agradecida,

– *Dra. López*

¡Invita a la Dra. Maribel López
a tu próximo evento!

www.drmaribellopez.com

maribel@drmaribellopez.com

Facebook Page: Dr. Maribel Lopez

Instagram: @drlopez_maribel

Twitter: @drlopez_maribel

YouTube: Dr. Maribel Lopez